ま　え　が　き

　データサイエンスは、現代社会において、全ての人が学ぶべきもの、昔の言い方をすれば、「読み書きそろばん」のようなものになりつつあります。それも、単なる教養や技術のようなものではなく、現実社会に非常に大きな変革をもたらしつつある AI（人工知能）を支える中核的な技術として、その重要性は日ごとに増しています。

　滋賀大学は 2017 年に日本で最初に「デーサイエンス学部」を創設し、以来、数理・データサイエンス・AI 教育強化拠点コンソーシアムの拠点校（現在 11 大学が文科省によって選定）として、データサイエンス教育のリーダーシップをとってきました。その間に、精力的にデータサイエンス教育の教材を作ってきましたが、なかでもオンライン教材のシリーズ、「大学生のためのデータサイエンス(I) (II) (III)」は、多くの大学・企業でデータサイエンスの入門教材として使用され、令和 4 年度までで 7 万人を超える方々に視聴されてきました。

　今回その続編として、データ研磨に特化した 4 本目の動画教材「データサイエンスの必須スキル！データ研磨入門」を制作しました。このスタディノートは、この動画教材の副読本として、皆さんのデータ研磨に関する勉強をより効率化するために作られました。

　データ研磨は、データを分析する前処理として、データの誤りを削除し、不整合を修正し、そして最も信頼できる情報を抽出するプロセスですが、データから価値を生むことを目的としたデータサイエンスの中でも、非常に重要なプロセスです。データ研磨は、データセットに対する洞察を深め、分析の正確性を高め、結果としてより信頼性の高い意思決定を可能にするからです。現在、データ分析の自動化と高速化が広範に進みつつありますが、多くの場合、それはデータ研磨をし終わった「きれいなデータ」があって初めて可能になります。

　時間的にも、データ研磨は多くの時間とエネルギーを使うプロセスです。動画とこの教材を使って学習するために、皆さんは貴重な時間を費やすことになりますが、そこで得られた知識や技術は、間違いなくこれからのデータ研磨の作業を効率化してくれるはずです。

　あらゆるデータ分析の旅は、クリーンで信頼性の高いデータから始まります。この教材が皆さんのデータ分析スキルの向上に寄与することを願っています。では、データ研磨の世界へ一緒に飛び込みましょう！

2024 年 2 月

滋賀大学データサイエンス学部長　椎名　洋

原 稿 執 筆 分 担

第1週

第1回　　　深谷　良治　　滋賀大学データサイエンス・AI イノベーション研究推進センター　教授

第2回　　　深谷　良治　　滋賀大学データサイエンス・AI イノベーション研究推進センター　教授

　　　　　　保科　架風　　青山学院大学経営学部　准教授

　　　　　　岡部壮一郎　　（株）帝国データバンク企総部企画課　主任

第2週

第1回　　　保科　架風　　青山学院大学経営学部　准教授

第2回〜第5回　海老原吉晶　（株）NTT データバリュー・エンジニアコーポレート管理本部　管理部長

第3週

第1回〜第4回　大里　隆也　（株）帝国データバンクプロダクトデザイン部プロダクトデザイン課　課長補佐

第4週

第1回〜第4回　保科　架風　　青山学院大学経営学部　准教授

　　　　　　江崎　剛史　　滋賀大学データサイエンス学部　准教授

　　　　　　松原　　悠　　滋賀大学データサイエンス・AI イノベーション研究推進センター　助教

第5週

第1回〜第5回　菊川　康彬　（株）帝国データバンク企総部企画課　課長補佐

第6回　　　岡部壮一郎　　（株）帝国データバンク企総部企画課　主任

第7回　　　菊川　康彬　　（株）帝国データバンク企総部企画課　課長補佐

第8回　　　深谷　良治　　滋賀大学データサイエンス・AI イノベーション研究推進センター　教授

〔所属・役職；
　滋賀大学教員は 2024 年 2 月現在〕

目　　次

まえがき

原稿執筆分担

本書の使い方

講義の解説

　第 1 週：データ前処理の必要性 --- 1

　　　　（プロローグ、対談　データサイエンティストに求められるもの　データ

　　　　サイエンス業務の流れ）

　第 2 週：データサイエンスに必要なデータリテラシー ------------------------------- 11

　　　　（プログラミングのススメ、データ仕様の確認、データの中身の確認、

　　　　データ処理基盤の概要、データ研磨をする際の心掛け）

　第 3 週：データ研磨スキル習得 -- 35

　　　　（データサイエンスと相性のいいデータ研磨環境、基礎スキルの理解）

　第 4 週：データ研磨スキル習得演習 -- 73

　　　　（日本プロ野球選手データのデータ研磨、ゲームハード販売台数のデータ研磨）

　第 5 週：データ研磨実践演習 --- 100

　　　　（データ研磨を通じて実現したいこと、データ研磨手順の構築、

　　　　データ研磨工程、データの可視化、データ研磨後にやるべきこと、

　　　　エピローグ：社会で活躍できるデータサイエンティストへ）

　索　引 --- 148

本書の使い方

　本書は、オンラインによる無料で学べる大学講座「gacco」で開講される「データサイエンスの必須スキル！データ研磨入門」のためのスタディノートである。オンライン講座は理解しにくい部分を何度も繰り返し再生したり、画面を一時停止したりして内容を確認できるところが大きな利点である。それにもかかわらず、内容の整理や後からの復習のためには、印刷した資料のほうが一覧性に優れ、わかりやすいと思われる。さらに、手を動かしてノートを取ったり、キーワードにマーカーで印をつけたりすることでも、学習効果を高められる。

　本書は、手元においてオンライン講座を受講することで、より高い学習効果が得られる教材となっている。ここでは、このスタディノートの効果的な使い方を用途ごとに簡単に説明する。

1．オンライン講座を受講するとき

　本書の大部分は、オンライン講座で実際に使用されるスライドと、そのスライドに加えられる説明文によって構成されている。各ページには上段にスライドをおき、下段にそれぞれのスライドについて箇条書きの形式で説明が加えられている。箇条書きの説明文は実際にオンライン講座の中で講師が話す内容をもとに作成しており、受講者は講義を聞きながら、手元のスタディノートの説明文にマーカーで印をつけるなどして、学習を進めることができる。これにより、受動的になりがちなオンライン講座を能動的に受講することが可能となり、通常のオンライン講座以上の学習効果が得られることを想定している。

2．オンライン講座を復習するとき

　本書では、オンライン講座の全スライドが含まれており、オンライン講座で実施される各週の確認テストのための復習時に、内容を短時間で確認することができる。

　また、巻末の索引には、スライドあるいはスライドの説明文で定義や説明が示されている重要な用語や概念をキーワードとしてまとめている。これは、全体を通した復習のためにはとりわけ有用である。目次に加えて索引を見ることにより、データ研磨やデータ分析に関する概念の全体像を把握することができる。

３．RやPythonのサンプルコードを使うとき

　第３週以降では、データ処理の事例やデータ研磨の留意点をRやPythonを用いた具体的な事例を使って説明している。関連するサンプルデータやサンプルコードの一部は、オンライン講座からダウンロードして自分のパソコンで実行することができる。

４．データ研磨、データサイエンスに関するより高度な話題に興味があるとき

　本書では、データサイエンス業務の流れを意識して、実践において重要な用語や概念を、キーワードとして索引にまとめている。この索引は、オンライン講座の学習や復習時だけでなく、データサイエンスに関する記事や文献を読んでいてわからない用語が出てきたときなど自主学習の際にも役立つ。

講 義 の 解 説

第1週：データ前処理の必要性 ……………………………………………………1

第2週：データサイエンスに必要なデータリテラシー ……………………11

第3週：データ研磨スキル習得 ……………………………………………35

第4週：データ研磨スキル習得演習 ………………………………………73

第5週：データ研磨実践演習 ……………………………………………100

第1週：データ前処理の必要性

　1週目では、対談形式で、データサイエンティストの役割やスキルを紹介し、データサイエンス業務の流れに沿って、それぞれのスキルがどのように活かされるかについて説明する。その中で、データ前処理の必要性についても解説する。

	内容	到達目標
第1回	プロローグ	「データ研磨入門」の概要を理解する。
第2回	対談　データサイエンティストに求められるもの　データサイエンス業務の流れ	データサイエンス業務の流れ、データサイエンティストの役割とスキルを理解する。

第1回　プロローグ

- 「大学生のためのデータサイエンス(I)」では、データサイエンスの概要と基礎的手法を紹介しました。
- 「大学生のためのデータサイエンス(II)」では、ビジネス価値創造に役立つ機械学習手法を紹介しました。
- 「大学生のためのデータサイエンス(III)」では、データサイエンスを活用して問題を解決するための具体的な知識やスキルについて、事例を通じて紹介しました。
- 今回の「データ研磨入門」では、データ分析を行う前のデータの加工や処理に関する必須スキルについて解説していきます。

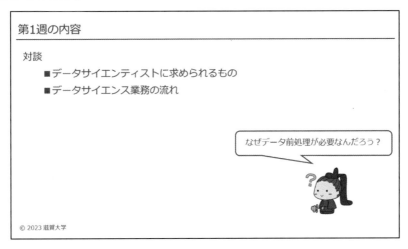

- データとは、様々な計測や観測によって得られる情報です。形式は、数値からテキスト、音声、画像まで多岐にわたります。
- データには、表計算ソフトで簡単に扱えるように整形された構造化データと、特定の構造が定義されていない非構造化データがあります。
- データは「２１世紀の石油」と称され、経済的な価値を持つ資源と認識されています。石油と同じように採掘し、輸送、備蓄し、精製、加工することで初めて価値が生まれます。
- 入力データの品質が低ければ、出力結果も質が低くなるので、データの質を向上させる「データ研磨」が重要となります。

- 第１週では、３名の講師がデータサイエンティストに必要なスキルを語ります。
- データサイエンス業務の流れの中でそれぞれのスキルがどのように活かされるのかを説明します。
- データ前処理の必要性についても触れます。

第2週の内容
_____

『データサイエンスに必要なデータリテラシー』
データを利活用して分析する能力"データリテラシー"に関して学ぶ。

- プログラミングのススメ
- データ仕様の確認
- データの中身の確認
- データ処理基盤の概要
- データ研磨をする際の心掛け

データを実践で生かすためのポイントは？

© 2023 滋賀大学

- 第 2 週では、データを理解し活用するための基本的なスキル、データリテラシーについて学びます。
- データを実践で生かすためのポイントの理解を目指します。

第3週の内容
_____

『データ研磨スキルの習得』
データを解析可能な状態に研磨し，構造化するスキルに関して学ぶ。

- データサイエンスと相性のいいデータ研磨環境
- 基礎スキルの理解 1　〜基本設定，ファイル処理，カラム・値操作〜
- 基礎スキルの理解 2　〜レコード操作・結合処理〜
- 基礎スキルの理解 3　〜構造変換・集計処理，可視化〜

データ研磨プロセスを順にみていこう！

© 2023 滋賀大学

- 第 3 週では、データ研磨のプロセスを順に見ていきます。
- データを解析可能な状態に研磨し、構造化する処理や、操作・変換・集計などを行うための R や Python による処理スキルを習得します。

```
第4週の内容

『データ研磨スキル習得演習』
オープンデータを用いてデータ研磨スキルを習得する。

    ●日本プロ野球選手データのデータ研磨（R編）
    ●日本プロ野球選手データのデータ研磨（Python編）
    ●ゲームハード販売台数データのデータ研磨（Python編）
    ●ゲームハード販売台数データのデータ研磨（R編）

            身近な事例で，データを解析可能な状態に構造化しよう

© 2023 滋賀大学
```

- 第 4 週では、日本プロ野球選手データやゲームハード販売台数データなど身近な事例を用いて、データ研磨スキルを習得します。
- R や Python を使ってデータ研磨に関するプログラム演習を行います。

```
第5週の内容

『データ研磨実践演習』
「住民基本台帳に基づく人口，人口動態及び世帯数」を題材にデータ研磨を学ぶ。
    ●データ研磨を通じて実現したいこと
    ●データ研磨手順の構築
    ●データ研磨工程①～③            データを意味のある形に
    ●データの可視化                 磨いて分析に生かそう
    ●データ研磨後にやるべきこと

『エピローグ　～社会で活躍できるデータサイエンティストへ～』

© 2023 滋賀大学
```

- 第 5 週では、住民基本台帳に基づく人口データを題材にして、日本の社会構造を生産年齢人口の割合で把握するために、生産年齢人口の可視化までのデータ研磨の一連の作業を体験します。
- 『エピローグ』では、社会で活用できる能力について説明し、社会で活躍できるデータサイエンティストへの期待を語ります。

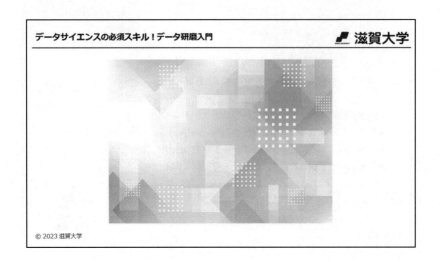

第2回　対談　データサイエンティストに求められるもの　データサイエンス業務の流れ

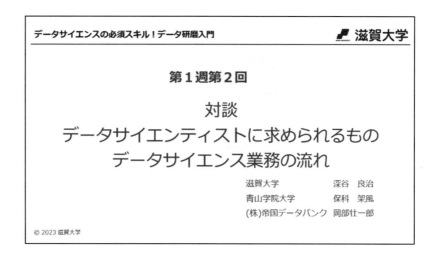

● 第1週第2回では、3名の講師（滋賀大学 深谷良治、青山学院大学 保科架風、(株)帝国データバンク 岡部壮一郎）がデータサイエンティストに求められるもの、及び業務の流れについて対談します。

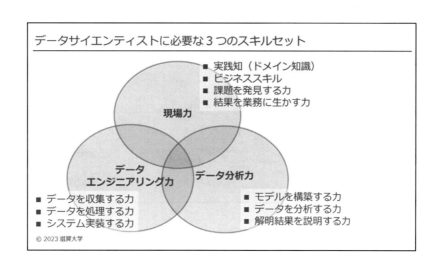

● データサイエンティストには、データエンジニアリング力、データ分析力、現場力の3つのスキルが必要と考えます。
● データエンジニアリング力として、データを収集し、処理して、システムに実装することが求められます。
● データ分析力として、分析モデルを構築して、分析を行い、その結果をわかりやすく説明できることが大切です。
● 現場力として、データ分析結果をビジネスの現場に活かすことが必要です。実際に現場業務に精通していて、解析しようとしている事柄に関する知識や知見（ドメイン知識）を持っていることが望ましいです。
● 業務内容がわかっていないと課題を抽出・発見することも難しいです。

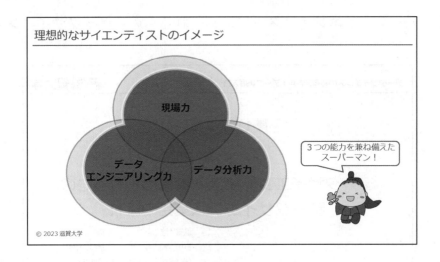

● ３つの能力をすべて兼ね備えたスーパーマンのようなデータサイエンティストは、世の中には、なかなかいません。

● 調和のとれたプロジェクトチームメンバーであれば、多様なデータサイエンティストスキルを統合して問題を総合的に解決することができます。

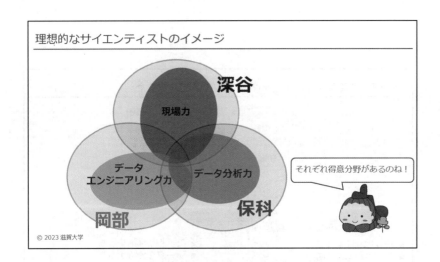

● 実際のデータサイエンティストは、３つの能力のどこかに得意分野があることが一般的です。

● それぞれの得意分野のある３名の講師に、それぞれの視点から意見を述べてもらいます。

● 対談によって理想的なデータサイエンティスト像を浮き彫りにしていきます。

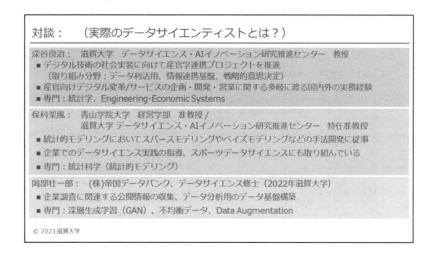

- 【深谷】データサイエンティストは技術的スキルだけでなく、ビジネスや業界についての深い知識も持つべきです。分析結果がどのようにビジネスに影響を及ぼすかを理解することも大切です。
- 【保科】データに隠れている知見をきちんと取り出すためにも、データサイエンティストは、データ分析を正しく行いながら問題解決に取り組むことが大切だと考えています。
- 【岡部】データサイエンティストには強固なデータ管理とデータ処理スキルが必要だと感じています。これにより、データの信頼性が確保され、より正確な洞察が得られます。

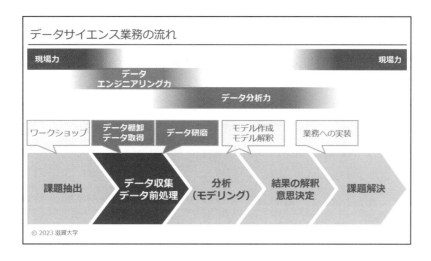

- まずは課題を抽出するところから現場力を持って関わります。ワークショップなどで課題を洗い出し、曖昧なイメージを明確化してプロジェクトの目的を定義していきます。
- 次には、データ収集、データ前処理、そして『データ研磨』など、データエンジニアリング力が大いに発揮されます。
- 次にモデル作成によるデータ分析、結果の解釈とつながっていきますが、データに基づいて考えを結論づける思考力がここで求められます。
- 課題解決に向けて実際に解析結果を現場で適用する場合にも、データが示している可能性を具体的な形で見せていくことが必要です。

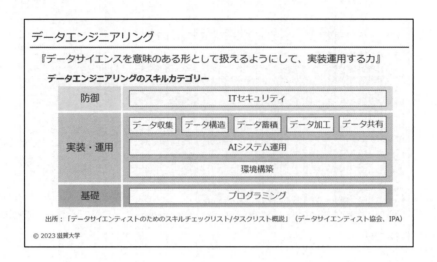

- 一般社団法人データサイエンティスト協会が定めた、データエンジニアリングスキルを図で示します。
- この協会によるとデータエンジニアリングとは、『データサイエンスを意味のある形として扱えるようにして、実装、運用する力』と定義されています。
- データの収集、加工、蓄積はもちろん、データの構造化や共有できる仕組みを作ることが求められています。
- その基盤としてのプログラミングや、防御手段としてセキュリティの知識も求められます。
- この講座では、現場業務を理解することの重要性、データ研磨の重要性、生データをデータ分析ができる形に加工・前処理する流れ（データ研磨の流れ）について紹介していきます。

第2週：データサイエンスに必要なデータリテラシー

　2週目ではデータサイエンスに必要なデータリテラシーとして、データ研磨を行う際にノーコードツールではなくプログラミングを用いることのメリットと意義を紹介したのち、データ研磨に先立ってデータの仕様と中身を確認する方法、データの発生から分析環境に至るまでの流れと、そのためのデータ処理基盤の概要を解説し、最後にデータ研磨をする際の心掛けについて講義する。各回の内容とその目標を以下に示す。

	内容	到達目標
第1回	プログラミングのススメ	データサイエンスにノーコードツールの利用ではなく、プログラミングを行うメリットを理解する。
第2回	データ仕様の確認	データ仕様を確認する観点と、主なデータ仕様を記述した資料の内容を理解する。
第3回	データの中身の確認	データの中身を確認する際の観点と主な確認事項を理解する。
第4回	データ処理基盤の概要	データが生成されてから分析可能な状態となるまでの過程とそのための環境を理解する。
第5回	データ研磨をする際の心掛け	データ研磨をする際に気をつけることと、そのための心構えを理解する。

第1回　プログラミングのススメ

データサイエンスの必須スキル！データ研磨入門　　　🔷 滋賀大学

第2週第1回
プログラミングのススメ

青山学院大学経営学部
保科架風

© 2023 滋賀大学

今回の講義内容

■ 第2週：「データサイエンスに必要なデータリテラシー」
　□ プログラミングのススメ
　□ データ仕様の確認
　□ データの中身の確認
　□ データ処理基盤の概要
　□ データを研磨する上での心掛け

■ 今回は本講座がなぜ「プログラミングによるデータ研磨」
　を扱うのかを説明

今週はこの講座の
土台の話です。

© 2023 滋賀大学

● 第2週では、データサイエンスに必要なリテラシーを扱っていきます。

● 今回はこの講座で扱う「プログラミングでデータ研磨を行う意義」について説明します。

データ研磨とは

■「取得したデータを、データ分析できる形に加工・前処理すること」

■データサイエンスで扱うデータの多くは "原石" の状態
　□集計や他のデータとの結合が必要なものが多い
　□具体的なデータ分析での活用を想定せずに計測・収集されているものも多い

■これらのデータをそのままデータ分析しても何も生まれない

➡　**データ研磨をしてこそデータの価値を引き出し、
　　問題解決に繋げることが可能に**

© 2023 滋賀大学

- この講座では R と Python というプログラミング言語による「データ研磨」を扱います。
- 「データ研磨」とは「取得したデータをデータ分析ができる形に加工・前処理すること」です。
- 取得された直後のデータからすぐに何らかの知見を得ることは難しく、集計や他のデータと結合するなどの処理が必要になることが多くあります。
- 具体的にデータ分析を想定して計測されていないデータは、何らかの整形作業をしなければデータ分析に利用することができません。
- 捉えたい特徴を抽出でき、データ分析がしやすくなるようにデータを研磨してこそ、データの価値を引き出し、問題解決に繋げることができます。

データ研磨でプログラミングは必要？

■本講座のテーマ：R や Python などの**プログラミング言語によるデータ研磨**

■一方、最近では「プログラミングなし＝"ノーコード"」でデータ研磨や
データ分析ができるように
　　　例. Microsoft Excel, Tableau, Code Interpreter, ...
■これらのノーコードツールの方が操作が直感的で簡単

Question.
　プログラミングでデータ研磨をする必要があるのか？

　　Our Answer.
　　**Yes, 特に問題解決に繋がりやすい
　　そしてデータサイエンスとは「データ分析で問題を解決すること」**

© 2023 滋賀大学

- プログラミングを行わなくてもデータ研磨は可能です。
- 特にプログラミングなしでデータ分析まで実行できる「ノーコードツール」を利用した方が直感的にわかりやすく作業を進めることができます。しかし、そんな便利なノーコードツールが存在しても、この講座で扱うようなプログラミングによるデータ研磨を行うことには意味があります。
- プログラミングを使うことでデータサイエンスの目的である「問題解決」に繋がりやすいです。
- 次に「データ研磨にプログラミングを使った方が良い」理由を説明します。

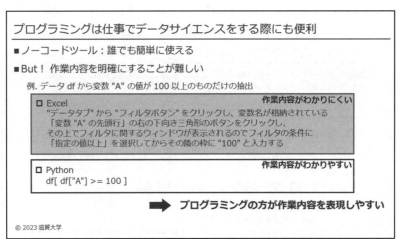

ノーコードツールとプログラミングの特性の違い

ノーコードツール：操作が直感的で誰にでも使いやすい
- マウスなどで操作が完結するように事前に機能が用意されている
- 「定型の処理」に向いている

プログラミング：操作の習得が必要だが、様々な処理を実行可能
- 「非定型の処理」に対応できる
- **データサイエンスは非定型な処理が多い**

➡ **データサイエンスにはプログラミングの方が便利**

© 2023 滋賀大学

- ノーコードツールの長所は「使用方法が直感的で誰にでも扱いやすい」ところですが、それは直感的に処理ができるようにソフトウェアの開発者によって事前に機能を準備しているためです。
- このようなツールは多くの人が共通して行うような「定型の処理」をするのにとても便利だという傾向があります。
- 問題解決を扱うデータサイエンスでは定型以外の処理がとても多く、特に取得したデータをデータ分析可能な状態に加工する「データ研磨」では、データやデータ分析手法によって臨機応変な処理が必要です。そのため、プログラミングを利用した方が多くの場合に便利になります。

プログラミングは仕事でデータサイエンスをする際にも便利

- ノーコードツール：誰でも簡単に使える
- But！ 作業内容を明確にすることが難しい

例. データ df から変数 "A" の値が 100 以上のものだけの抽出

□ Excel　　　　　　　　　　　　　　　**作業内容がわかりにくい**
"データタブ" から "フィルタボタン" をクリックし、変数名が格納されている「変数 "A" の先頭行」の右の下向き三角形のボタンをクリックし、その上でフィルタに関するウィンドウが表示されるのでフィルタの条件に「指定の値以上」を選択してからその隣の枠に "100" と入力する

□ Python　　　　　　　　　　　　　　**作業内容がわかりやすい**
df[df["A"] >= 100]

➡ **プログラミングの方が作業内容を表現しやすい**

© 2023 滋賀大学

- プログラミングによるデータ研磨は仕事でのデータサイエンスでも便利です。
- 誰でも直感的に操作ができるノーコードツールですが、直感的であるが故に「作業内容を明確にしにくい」というデメリットもあります。
- 例えば、あるデータの中のある変数 "A" の値が 100 以上のものだけを抽出するような作業は、プログラミングならばたった 1 行のコードで実行できますが、Microsoft Excel のような表計算ソフトでは少々煩雑な操作が必要になります。
- さらにプログラミングの場合は、コンピュータへの全ての命令がプログラムとして残るので作業のログを確認しやすいです。しかし、ノーコードツールの場合はどのような操作を行ったのかはログが残らないことが多く、特に工夫をしなければ作業の記録はユーザーの記憶に依存してしまいます。

ノーコードツールは作業の再現性が低い

■ **個人での仕事の場合**
  □ （ノーコードツールでは）同じ作業を正確に繰り返すのが難しい
  □ （ノーコードツールでは）作業の修正は基本的に「最初からやり直し」
  □ （ノーコードツールでは）ミスの発生箇所の特定が難しい

■ **チームでの仕事の場合**
  □ チームで調和しながら仕事を進めるには作業内容や進捗の共有が大切
    ← ノーコードツールでは難しい
      ：作業内容の言語化が難しい、**チーム全体の作業内容を把握することが難しい**
  □ （ノーコードツールでは）作業の属人化を防ぐのに工夫が必要
    ➔ チームの中で**知見が体系化されにくい**

© 2023 滋賀大学

- ノーコードツールの以上の特徴は個人とチームでの作業の両方で問題になります。
- 個人での作業では、作業の再現性が低下するとともに、一部の作業の変更・修正に手間がかかります。また、作業中のミスの箇所の特定も難しくなります。
- チームでの作業では、作業の進捗を言語化して共有することが難しく、さらに作業内容の正確な共有が難しいことで類似作業の把握も不十分になり、非効率になる可能性があります。
- 作業内容の情報の引き継ぎが難しく、チームでの知見の蓄積や体系化も期待できなくなります。

プログラミングならばノーコードの問題を回避できることが多い

■ プログラミングの段階で作業内容が整理される
  ➔ 作業内容の共有が楽になる
■ 「プログラム＝コンピュータへの指示」が残っていれば作業の再現性が担保
  ➔ ループ文による同様の作業の繰り返しやミスの発生箇所の特定も可能
■ プログラミングには
  「環境構築」、「スキル習得」、「スキル活用のための論理的思考力」が必要
  □ 環境構築　：Google colaboratory などで**簡単に構築可能**
  □ スキル習得：書籍やオンライン講座など、**情報が豊富**に揃っている
  □ 論理的思考能力：そもそも**データサイエンスに不可欠な能力**
    ＝プログラミングがトレーニングにも

  ➡ **プログラミングによるデータ研磨はデータサイエンスにとても便利**

© 2023 滋賀大学

- プログラミングによるデータ研磨はこれらの問題の回避が可能です。
- プログラムの共有による作業内容の共有が可能となり、作業内容の整理も同時に行うことができます。
- 同じ作業の繰り返しはコンピュータの方が正確かつ高速に実行できます。また、全ての命令がプログラムに残っているので順を追ってプログラムを確認すればミスの原因を特定できます。
- 一方、プログラミングを行うにはプログラミング環境の構築や必要なスキルの習得、さらにはスキルを活用するための論理的思考能力が必要です。しかし、現在ではプログラミング環境を簡単に構築できるようになり、書籍やオンライン講座などを通じてプログラミングスキルを向上させる機会も増えてきました。
- データサイエンスに不可欠な論理的思考能力は、プログラミングを通じて鍛えることも可能です。
- これらの理由から、データサイエンスやデータ研磨にプログラミングはとても便利なのです。

まとめ

- ノーコードはデータ分析を行う上で便利なツール

- しかし、作業内容の明確化や整理、周囲との共有、ミスの発生箇所の発見や論理的思考力の発展の上でプログラミングはとても便利

- ゆえにこの講座ではプログラミングによるデータ研磨を扱う

- 次回はデータ研磨の対象となるデータの仕様の確認について

次回に
続きます

- 今回のまとめです。

- ノーコードツールはデータ分析を行う上で便利なツールです。しかし、データサイエンスやデータ研磨において、作業内容の明確化や整理、周囲との共有、ミスした箇所の発見や論理的思考能力の発展の意味という観点からはプログラミングが便利です。

- そのため、この講座で R や Python によるデータ研磨についてしっかりと学んでいってください。

第2回　データ仕様の確認

データサイエンスの必須スキル！データ研磨入門　　　　　　滋賀大学

第2週第2回
データ仕様の確認

株式会社NTTデータバリュー・エンジニア
海老原　吉晶

© 2023 滋賀大学

今回の講義内容

■ 今回から2回にわたり，データ研磨を行うに当たっての，そもそも対象となるデータが分析の目的に合っているかを確かめる手順・観点を解説する

■ データの確認には「データ仕様の確認」と「データの中身の確認」が必要となる

■ 今回は「データ仕様の確認」について解説する

そのデータは
分析の目的に
合っているかな？

© 2023 滋賀大学

● データ研磨を行うに当たり、最初に行うのは、そもそも対象となるデータが分析の目的に合っているかどうかを確かめることです。

● 今回から2回にわたり、「データの確認」について解説していきます。

● データの確認には「データ仕様の確認」と「データの中身の確認」の2つが必要となります。

● 今回はそのうちの一つ、「データ仕様の確認」について解説します。

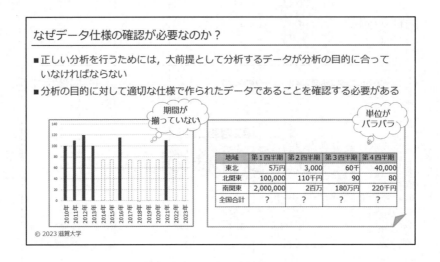

- 　「なぜデータ仕様の確認が必要なのか？」
- 　正しい分析を行うためには、分析するデータが分析の目的に合っていなければなりません。
- 　例えば、ここに示す例のように、時系列の推移を分析したい場合に、必要とする期間分のデータが揃っていなかったり、数値項目の単位がバラバラででであったりすると分析に利用することができません。

データ仕様確認の観点（５Ｗ２Ｈ）

■ 入手したデータが適切な仕様であるかを以下の５Ｗ２Ｈの観点で確認する

対象	確認事項	観点
When（いつ）	データの発生・作成日時	いつ作られたか？分析期間は揃っているか？
Where（どこで）	データの発生・入手経路	どのような調査やイベントで作られたか？
Who（だれが）	データの管理主体者・組織	どの組織や団体、個人（役割）が作成したか？
What（なにを）	データに反映している事象	何を反映しているか？
Why（なぜ）	データの収集・蓄積目的	どのような目的で作成されたか？
How（どのように）	データの収集・抽出方法	どのようなプロセス・方法で作成されたか？
How Many（どれだけ）	データの件数・母数	十分なサンプルサイズか？

© 2023 滋賀大学

- 　データの仕様を確認すると言っても一体何をどのように確認したら良いのでしょう？
- 　この表はデータの仕様を確認する観点を５Ｗ２Ｈの切り口まとめたものです。
- 　分析に使用する前に、これらの観点からデータを確認します。

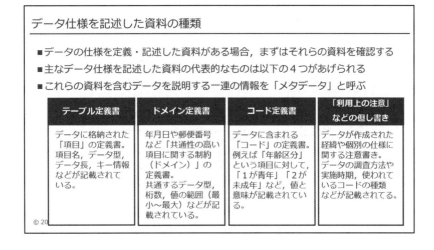

- データの仕様を確認する際にデータの仕様を定義・記述した資料があれば、まずはそれらの資料を確認します。
- データ仕様を記述した資料の代表的なものには「テーブル定義書」「ドメイン定義書」「コード定義書」「「利用上の注意」などの但し書き」の４つがあります。
- これら４つを含めた、データを説明する一連の情報のことを総称してメタデータと呼びます。

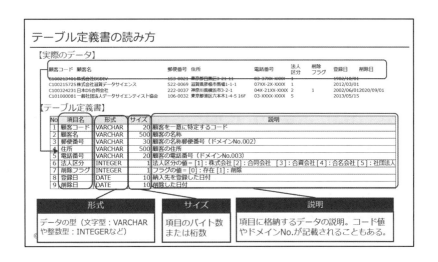

- テーブル定義書は、データに格納された「項目」の定義書です。
- 「形式」には、文字型、数値型といったその項目のデータの形式が記載されます。
- 「サイズ」には、その項目のデータの長さが、バイト数や桁数によって記載されます。
- 「説明」には、その項目の意味が記載されます。文章で記載されることもあれば、具体的なコード値まで記載されることもあります。

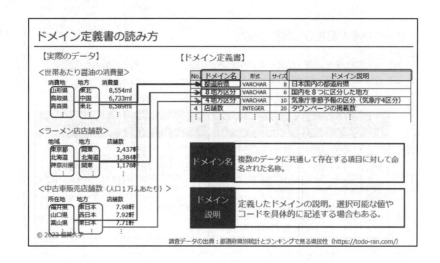

- ドメイン定義書は、年月日や郵便番号など、複数のデータを横断した「共通性の高い項目に関する規則」を記載したものです。

- 例えばここに示す３つのデータでは、消費地、地域、所在地という異なる項目名のデータがありますが、全て都道府県が格納されています。このとき、これら３つの項目は、共通するドメイン「都道府県」と定義することができます。

- ドメイン定義書に記載される項目は、ドメイン名とドメイン説明の他、テーブル定義書と同様に形式やサイズなどが記載されます。

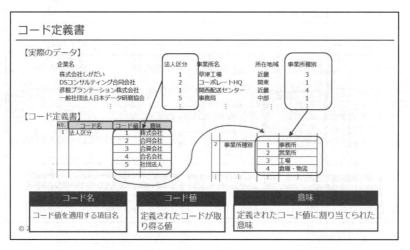

- コード定義書は、各コードの具体的な意味を記載したものです。区分や種類を表すコード類は、コードの値だけを見ても何を意味するのか分かりにくいことが多いです。コード定義書を参照して、それぞれのコードの意味を理解しましょう。

- この例では、法人区分と事業所種別の２つの項目にコード値が格納されています。

- これらの意味は、下段にあるコード定義書に記載されます。

- コード定義書には、コード名、具体的な値であるコード値、各々のコード値の意味が記載されます。

- 「利用上の注意」などの但し書きには、データが作成された経緯、時期、調査方法、そのデータに特有の仕様に関する注意書きなどが文章で記載されています。これらは、「ユーザーズガイド」や「FAQ」といったタイトルで提供されることもあります。
- この「利用上の注意」は、政府統計データのポータルサイト e-stat からダウンロードした国勢調査データの例です。
- 同じ調査であっても、年度によって但し書きに書かれている内容が異なる場合がありますので、特に注意して、しっかり確認しましょう。

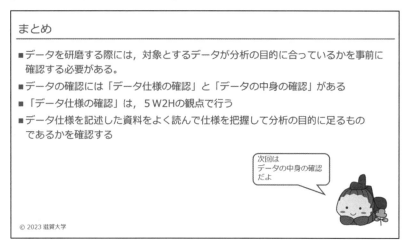

- 今回のまとめです。
- データを研磨する際には、まず最初に対象とするデータが分析の目的に合っているかを確認する必要があります。
- データの確認には「データ仕様の確認」と「データの中身の確認」があります。
- データ仕様の確認は、５W2H の観点で網羅的に行います。
- データ仕様を記述した資料をよく読んで仕様を把握してください。

第3回　データの中身の確認

● 前回の講義では、データが分析の目的に合っているかを確かめる手順・観点のうち、「データ仕様の確認」についての解説をしました。

● 今回は、「データの中身の確認」について解説します。

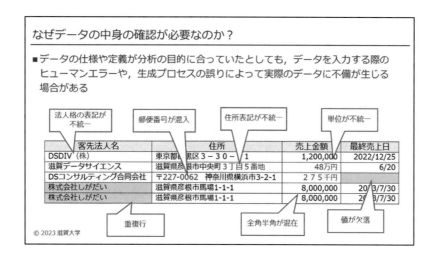

- データの仕様を確認した上で、なぜデータの中身まで確認をする必要があるのでしょう？
- データの仕様や定義が分析の目的に合っていたとしても、実際のデータに不備が生じる場合があるからです。人がデータを入力する場合には、入力間違い等のヒューマンエラーが発生する可能性があります。また、データを生成・加工する過程で、項目ずれなどが生じることもあります。
- 実際のデータには、むしろ、いまここに映している例のようなデータの不備が、多かれ少なかれ含まれていると思った方が良いでしょう。

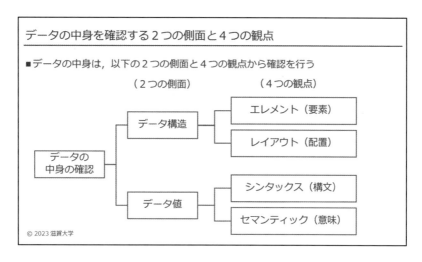

- データの中身の確認には、２つの側面があります。一つ目は、データの中に分析の対象以外の要素が含まれているかどうか（エレメントの観点）であったり、分析に適したデータの配置になっているかどうか（レイアウトの観点）を確かめる「データ構造」の確認。二つ目は、データの値そのものが仕様と整合性があるか（シンタックスの観点）や、データの意味（セマンティックの観点）を確かめる「データ値」の確認です。
- ２つの側面には、それぞれ、ここに書かれている２つの観点、全部で４つの観点があり、データの中身の確認は、これら４つの観点に沿って行っていきます。
- 次のページから、４つの観点について解説していきます。

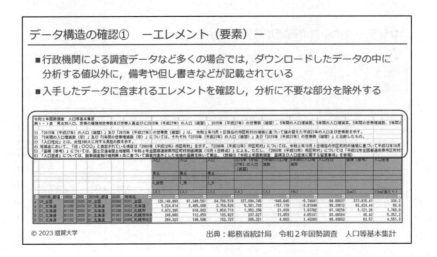

- データ構造の確認の１つ目の観点は、エレメント（要素）の確認です。
- ここに示す例のように、行政機関による調査データなど、ダウンロードしたデータには、分析で使用する値以外に備考や但し書きなどが記載されていることがあります。これらのデータは、このままでは分析に使うことができないので、入手したデータに含まれる不要な部分を除外しなければなりません。

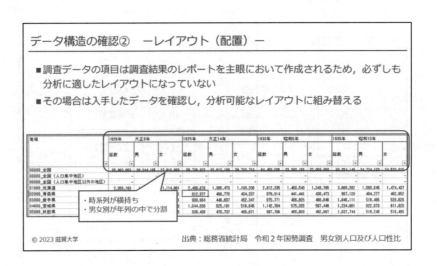

- データ構造の確認の２つ目の観点、レイアウト（配置）について解説します。
- ここに示す例は、令和２年版国勢調査のデータですが、調査結果を分かりやすく見せるために、時系列が横に並んでいたり、各年度のデータが男女別と総数に分割されているなど、分析に適したレイアウトになっていないものです。
- このような場合は、入手したデータを確認して、行や列を分割したり組み換えを行ったりして、分析可能なレイアウトに調整する必要があります。

データ値の確認①　－シンタックス（構文）－

■前回学習した「データ仕様を記述した資料」と照らし合わせて，入力されたデータが仕様と合っているか確認する

確認事項	内容	参照する「データ仕様を記述した資料」			
		テーブル定義書	ドメイン定義書	コード定義書	「利用上の注意」などの但書き
無効値	空欄やNULL値など無効なデータが含まれているか？	○			○
数値	四則演算対象の項目に数値以外の値が混入していないか？	○			○
範囲外	ドメイン定義書の記述と合わない範囲のデータは無いか？		○		○
コードエラー	コード定義書に存在しないコードは無いか？			○	○
重複	集計キーとなる項目に重複は無いか？	○			○

© 2023 滋賀大学

- データ値の確認の１つ目の観点、シンタックス（構文）の確認について解説します。
- シンタックスの確認では、前回に解説した「データ仕様を記述した資料」に書かれている仕様に実際に入力されているデータの値が合っているかどうかを確認します。
- この表は、主なシンタックスの確認事項と、それに対応する資料の関係をまとめたものです。
- それぞれの確認事項について、該当する資料を参照して、仕様どおりのデータであるかを確認します。

データ値の確認②　－セマンティック（意味）－

■入力されたデータが，項目の意味と合っているか確認する
■意味の処理は機械ではできないため，目視による確認が必要となる

確認事項	内容	例
表記揺れ	同じ内容に対して複数の表記方法が存在している	住所：彦根市馬場1-1-1 住所：彦根市馬場1丁目1番1号
趣旨違い	項目の趣旨ではない値が入力されている	会社名：株式会社しがだい 会社名：彦根市馬場1-1-1
趣旨混在	項目の趣旨以外の値が混在している	住所：彦根市馬場1-1-1 住所：0749-27-1005　彦根市馬場1-1-1
文字欠損	値が途中で抜けたり途切れてしまっている	会社名：株式会社しがだい 会社名：株＿会社しがだ＿
文字化け	英数字や日本語の項目が判読不明な文字になっている	◆◆◆◆ ◆O◆P◆Q◆R
異常値	項目の趣旨に該当しない使途不明の値になっている	氏名：－（ハイフンのみ）

© 2023 滋賀大学

- データ値の確認の２つ目の観点、セマンティック（意味）の確認です。
- 入力されたデータの値が、項目の意味と合っているかの確認です。
- 意味の解釈や判断は機械ではできないため、目視による確認が必要です。以下の６つのポイントを押さえることで、網羅的に確認することができます。
  - ・表記揺れ　同じ内容に対して複数の表記方法が存在していないか？
  - ・趣旨違い　項目の趣旨にそぐわない値が入力されていないか？
  - ・趣旨混在　項目の趣旨以外の別の項目の値が混在していないか？
  - ・文字欠損　値が途中で抜けたり、途切れてしまっていないか？
  - ・文字化け　英数字や日本語の項目が判読不能な文字になってしまっていないか？
  - ・異常値　　項目の趣旨に該当しない使途不明の値になっていないか？

まとめ

- データを入力する際のヒューマンエラーなどの要因でデータに不備が生じる場合があるため，データの中身を確認する必要がある
- データの中身の確認は2つの側面（データ構造，データ値）と4つの観点（エレメント（要素），レイアウト（配置），シンタックス（構文），セマンティック（意味））から実施する

次回は
データの前処理で使う
データ処理基盤を解説
するよ

- 今回のまとめです。
- データを入力する際のヒューマンエラーなどの要因でデータに不備が生じる場合があります。データの定義だけでなく、中身もしっかりを確認しましょう。
- データの中身の確認には2つの側面（データ構造、データ値）と4つの観点（エレメント（要素）、レイアウト（配置）、シンタックス（構文）、セマンティック（意味））があり、これらの観点からデータを確認する必要があります。

第４回　データ処理基盤の概要

- 分析対象となるデータを深く知るためには、そのデータがどのように作られ、どのようなプロセスを経て分析者の手元にやってくるのか？その過程を知っておくことも大切です。
- 今回は、データが発生した源流から分析可能な状態になるまでの一連の過程と、そのためのデータ処理基盤について解説していきます。

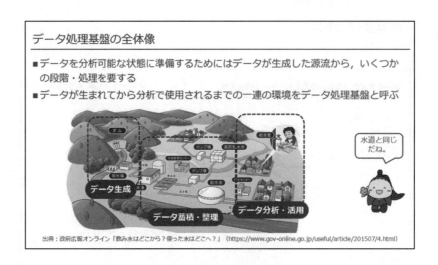

- データが発生してから、最終的に分析で活用できるようになるまでの流れは、河川から取り込んだ水が水道水として私達の生活の場へ届けられる過程と似ています。
- 河川の水をダムから取り込むように、入力したデータを取り込む環境を「データ生成」、取り込んだ水を浄水場がきれいにするように、取り込んだデータを蓄積し整える環境を「データ蓄積・整理」、水道管を通って誰もが利用できるようにするように、データから意味を取り出す環境を「データ分析・活用」と呼びます。
- 河川の水を安心して飲める水道水にするように、データもいくつかの過程を経て、分析に適した状態になり、価値を生み出すのです。

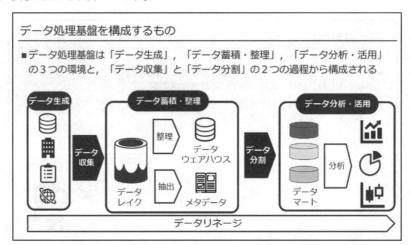

- データ処理基盤は、「データ生成」、「データ蓄積・整理」、「データ分析・活用」という3つの環境と、その間をつなぐ「データ収集」、「データ分割」という2つの過程から構成されます。
- また今日では、データがどこで入力され、どのように加工されてきたのか、源泉からのデータの変遷を記録する「データリネージ」が導入されるケースも増えてきています。
- それでは、一つずつ詳しい内容を見ていきましょう。

- データ生成環境からデータ蓄積・整理環境までの流れです。
- 今日、データを収集する方法は多岐にわたります。企業など組織内の業務で入力されるものや、オープンデータなどダウンロードして入手できるもの、アンケートとして集められるもの、最近ではインターネット上の無数の Web サイトからデータを収集する Web スクレイピングという手法も一般的になってきました。
- こうしてデータ生成環境から収集されたデータを生データのまま蓄積するのが「データレイク」です。
- データレイクに蓄積されたデータは、項目の調整や時系列の整合などの加工を行い、データウェアハウスに格納します。データウェアハウスは DWH と表記するのが一般的です。
- このとき、データウェアハウスに格納したデータの仕様を記述した「メタデータ」を作成します。本講義の第 2 週第 2 回で説明したデータ仕様を記述した資料も、メタデータの例です。

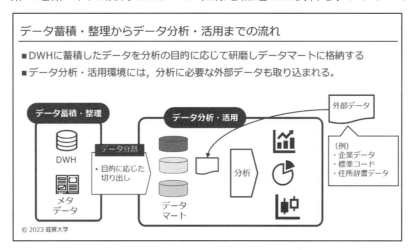

- データ蓄積・整理環境からデータ分析・活用環境までの流れです。
- データウェアハウスに格納された様々なデータから、分析の目的に応じて特定のデータを切り出したものがデータマートです。
- データマートはデータ分析・活用環境に配置されます。また、データ分析・活用環境には、分析に必要な外部データ、例えば分析の依頼を受けた企業や団体から提供されるデータや、国コード・郵便番号などの標準コードや住所辞書などが必要に応じて取り込まれます。

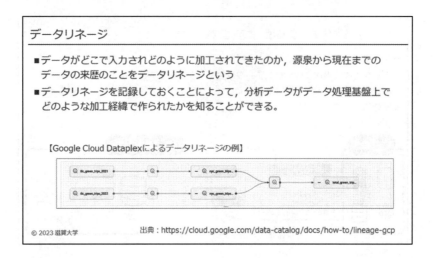

- 近年注目されている「データリネージ」を解説します。

- リネージは、血統や系統を意味する単語です。

- データリネージとは、データがどこで入力されどのように加工されてきたのか、源泉から現在までのデータの来歴を記録したものです。データリネージが記録されていれば、分析データが加工されてきた経緯を知ることができるので、そのデータがどのように作られたか確認する作業が非常に楽になります。例として Google の Dataplex というデータ管理環境で作られたデータリネージを示します。

- まだあまり聞き慣れない言葉ですが、今後普及していくことが期待されています。

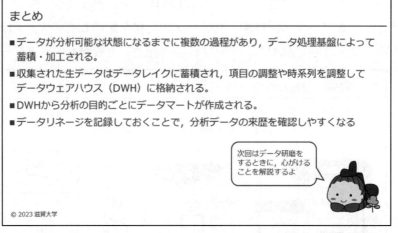

- 今回のまとめです。

- データが分析可能な状態になるまで、複数の過程があり、その都度処理が行われます。

- データ生成環境から収集された生データは、データレイクに蓄積された後、項目の調整や時系列の整合などの加工を行ってデータウェアハウスに格納されます。

- データ分析・活用環境では、データウェアハウスから分析の目的ごとに切り出されたデータマートが配置され、必要に応じて外部データも取り込まれます。

- データリネージを記録しておけば、そのデータの来歴が確認しやすくなり、分析の説明や根拠を示す際に、大いに役立つことでしょう。

第5回　データ研磨をする際の心掛け

- 第２週のここまでの講義で、データ研磨をプログラミングで行うことのススメ、データが分析の目的に合っているかどうかを確認する「データの確認」、データが分析者の手元に届くまでの「データ処理基盤」について解説を行ってきました。
- 原石である元データを、分析に適した状態へ研磨する、ということの大きな枠組みとイメージを掴んでいただけたことと思います。
- 今回は、データを研磨する際に心掛けなければならないこと、注意しなければならないことを解説していきます。

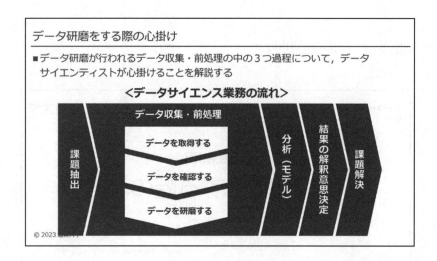

- データサイエンス業務の流れの中で、データ研磨は「データ収集・前処理」プロセスの中に位置づけられます。
- ここでは、データ収集・前処理プロセスの中で行う処理を、「データを取得する」「データを確認する」「データを研磨する」という3つのフェーズに分け、それぞれのフェーズで心掛けることを順に解説していきます。

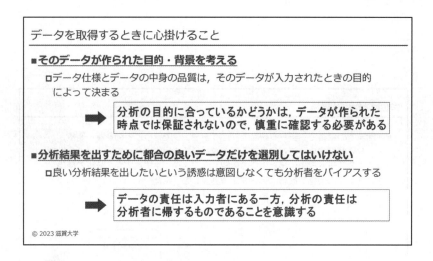

- データを取得する際の1つ目の心がけは、『そのデータが作られた目的と背景を考える』ことです。
- データが作られるとき、あらかじめ、そのデータが将来何らかの分析で使用されることを想定して作られるということは、ほとんどありません。「分析の目的に合っているかどうかは、データが作られた時点では保証されていないという事実を認識しておきましょう。」
- データを取得する際の2つ目の心がけは、『分析結果を出すために都合の良いデータだけを選別してはいけない』ということです。データサイエンティストも人間です。良い分析結果を出したいという誘惑は、自分でも気づかないうちに自らを誘導してしまうことがあります。例え都合の悪いデータがあっても理由なく除外してはいけません。「データの責任は、入力者にある一方、分析の責任は分析者に帰するものであることを意識して誠実にデータと向かい合いましょう。

データを確認するときに心掛けること

■ **データの仕様を知り，データから言える限界を理解する**

　□分析の目的を完全に満足するデータは稀であり，そのデータで分析・説明が可能な範囲を把握した上で，補完策を考える

 5W2Hの観点で，必ずデータ仕様の確認を行う必要がある

■ **データの中身の確からしさを疑う視点を持つ**

　□人間による入力にはヒューマンエラーがあり，センサーなどの機械が収集するデータにも測定環境による誤差が生じる可能性がある

→ **データの仕様だけでなく，データの中身の確認を行う必要がある**

© 2023 滋賀大学

● データを確認するときに心掛けることの１つ目は、『データの仕様を知り、データから言える限界を理解する』ということです。最初から分析者の目的を完全に満足するデータが揃うのは稀です。そのデータで分析・説明が可能な範囲をしっかりと把握した上で、必要があれば他のデータと組み合わせてみるなどの補完策を考える必要があります。５W2Hの観点で、必ずデータ仕様の確認を行い、そのデータが説明できる限界を把握しましょう。

● データを確認する際の心がけの２つ目は、『データの中身の確からしさを疑う視点を持つ』ことです。人間が入力したり加工したデータにはヒューマンエラーの可能性がありますし、センサーデータであっても測定環境による誤差を生むことがあります。データが常に正しいとは限らないという現実を認識し、データの仕様だけでなく、データの中身まで必ず確認を行いましょう。

データを研磨するときに心掛けること

■ **データ研磨の過程を記録する**

　□データ研磨の過程を記録することで分析結果の確からしさを後から確認することができ，同じ過程で繰り返しデータ研磨ができるようになる

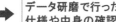 **データ研磨で行ったデータ加工の過程は，データの仕様や中身の確認とともに必ず記録に残す**

■ **データの加工はできるだけプログラミングで実行する**

　□プログラミングでデータ研磨を行うことで，自由度の高いデータ加工が可能となり，同時に研磨の手順が記録される

 データサイエンスに適したデータ研磨のやり方・環境であるプログラミングで実行する

© 2023 滋賀大学

● データ研磨を行うときに心掛けることの１つ目は、『データ研磨の過程を記録する』ことです。データ加工を繰り返す過程で、途中で行ったことが分からなくなってしまっては、分析の正確性を保証することはできません。特に、年次で取得される調査データを経年で比較する場合など、毎年同じデータ研磨を正確に繰り返す必要があります。データ研磨で行ったデータ加工の過程は、必ず記録に残しましょう。

● ２つ目の心がけは、『データの加工はできるだけプログラミングで実行する』ことです。データ研磨の過程を記録に残すために最も有効な手段は、データ研磨をプログラミングで実行することです。プログラミングでデータ研磨を行うことは、自由度の高いデータ加工が可能となるだけでなく、データ研磨の過程を記録に残すことにも役立ちます。

第2週まとめ

- データ研磨はノーコードツールではなくプログラミングで行う
- データが分析の目的に合っているかどうか「データ仕様」と「データの中身」の両方を確認する
- データが作られたデータ処理基盤を知り，分析するデータの成り立ちを意識する
- データを研磨するときに心掛けること
  - そのデータが作られた目的・背景を考える
  - 分析結果を出すために都合の良いデータだけを選別してはいけない
  - データの仕様を知り，データから言える限界を理解する
  - データの中身の確からしさを疑う視点を持つ
  - データ研磨の過程を記録する
  - データの加工はできるだけプログラミングで実行する

これで第2週は終了です。お疲れ様でした。

- 第2週のまとめです。
- データ研磨はノーコードツールではなく、プログラミングで行いましょう。
- データが分析の目的に合っているかどうかを確認するためには、必ず「データ仕様」と「データの中身」の 両方を確認する必要があります。
- 自分が分析するデータが、どのように作られているか、データ処理基盤を知り，データの成り立ちを意識することで、データに対する洞察を深めることができます。
- データを研磨するときに心掛けることとして、ここに上げる6つのポイントをいつも心と頭に留め、正確な分析データへとデータを研磨していきましょう。

第3週：データ研磨スキル習得

第3週では、データ研磨に必要となるデータ処理の具体的な方法の理解と習得を目指す。各回の内容とその目標を以下に示す。

	内容	到達目標
第1回	データサイエンスと相性のいいデータ研磨環境	データサイエンスと相性のいいデータ研磨環境を理解する。
第2回	基礎スキルの理解1 ～基本設定、ファイル処理、カラム・値操作～	ソフトウェアの起動を行い、ファイルの読み込み、新しいカラムの作成、文字列操作を実施できる。
第3回	基礎スキルの理解2 ～レコード操作、結合処理～	データから部分抽出ができる、2つのデータを横に結合することができる。
第4回	基礎スキルの理解3 ～構造変換・集計処理、可視化～	横長データから縦長データに変換できる、グループ集計ができる。

第1回　データサイエンスと相性のいいデータ研磨環境

第1回目では、データサイエンスと相性のいいデータ研磨環境について説明します。

- この講座ではオープンソースソフトウェアである R と Python によるデータ研磨に必要な操作について学びます。
- R と Python は、データの分析や処理、統計解析、機械学習などのさまざまなデータサイエンスタスクにおいて重要なツールです。
- 今回、データサイエンティストがどのような目的で R・Pyrhon を利用しているか、また、ソフトウェアの特徴、利用しやすいユーザー環境について説明します。

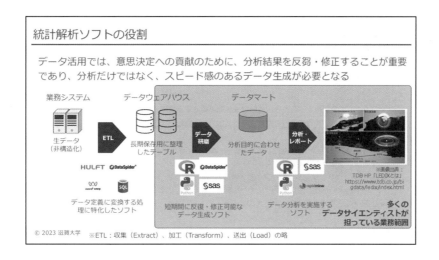

- 企業において、データから価値を産み出すためには、業務システムにある生データを構造化し、その構造化されたデータを用いて分析を行い、意思決定につなげることが必要となります。

- 多くのデータサイエンティストが活躍しているのは、データウェアハウスに格納されたデータを用いて分析し、結果を報告し、意思決定者との協議を行う場面です。ただし、意思決定に対して貢献できる結果を出すためには、「データ研磨」と「分析・レポーティング」を短時間で何度も繰り返す必要があります。

- この2つの作業を効率的に実現できるのが R や Python などの統計解析ソフトとなります。

Python・Rなどのオープンソースの特徴・できること

無料で利用できるソフトウェアでもデータ分析・研磨は十分実施可能である

ツール	R	Python	SAS
費用	無料	無料	有料
主な利用目的	統計解析・データ分析	汎用的で画像処理、自然言語、web、機械学習	厳密な統計解析、データフレームの操作ツールとして
ユーザー	心理学、生物学、数理統計学者	情報系・開発プログラマが多かったが、現在は多様化	医療・製薬・金融
ベクトル・行列計算	標準	Numpy (+SciPy)	標準
データフレーム	標準	Pandas	標準
プロット	標準	Matplotlib + Seaborn	標準
統計解析	標準 + 各種パッケージ	StatsModelsなど	一部追加費用（時系列・ベイズ推定など）
機械学習	caretなど	scikit-learn/PyTorchなど	追加費用が必要

© 2023 滋賀大学

- 統計解析ソフトには無料で利用できるものと有料なものとがありますが、いずれの場合でも多様な分析を実現することができます。

- 無料で利用できる R・Python などのオープンソースソフトウェアは、自由度が高く、ユーザーが自由にカスタマイズや拡張できるため、統計解析の研究や実務において非常に便利です。大規模なユーザーコミュニティやパッケージの提供により、高度な統計解析機能を手軽に利用することができます。

- 一方で、有料のソフトウェアは、セキュリティ、業界固有の解決策、サポート面などで優れた特徴を持っています。そのため、一般事業会社や金融機関などの企業組織において多く利用されています。

- 本講座では、データ研磨を誰でも実現できるようにするため、無料で利用できる R・Python の利用について説明します。

パッケージ利用のススメ

パッケージとは、特定の計算や関数群、データ形式、メモリ処理などの便利な機能を
ひとまとめにしたものである

- パッケージを利用することで、長いコードを必要とする処理でも関数で実施できるようになる
- プログラマ、研究者によって開発されているため、無料でかつ最新の研究成果を利用することができる
- Rでは、CRAN (Comprehensive R Archive Network)というパッケージを集めダウンロードできるミラーサイトが存在している
- Pythonではパッケージはライブラリと呼ばれており、外部ライブラリの一覧はPYPI（Python Package Index）という以下のサイトで確認することができる
- GitHubなど個別に配布しているものもある

© 2023 滋賀大学

- R と Python には、機能を拡張するパッケージという機能があり、パッケージを利用することで、長いコードを必要とする処理でも関数を用いて簡単に実施できるようになります。
- パッケージは常にオープンに開発されているため、最新の研究成果を利用することができるのが特徴です。
- 誰かが困っていることはすでに誰かが解決していることが多いので、パッケージで解決できる問題は多くあります。
- パッケージやライブラリは R と Python それぞれでパッケージ・ライブラリが集約されたサイトで確認できます。また、GitHub など個別に配布されているものもあります。

主に利用するパッケージR：tidyverse

tidyverseは、データサイエンス向けに設計されたRパッケージのコレクションの総称
であり、処理が早く、可読性の高いコーディングが可能となる

- `dplyr`　　：データ操作パッケージ
- `ggplot2`　：グラフ描画パッケージ
- `tidyr`　　：tidy dataを作るためのパッケージ
- `readr`　　：データファイル読み込みパッケージ
- `purrr`　　：繰り返し計算を行うためのツール
- `tibble`　：tidyverseの世界で使うデータ形式、データフレームの一種
- `stringr`：文字列操作ライブラリ
- `forcats`：ファクタ(因子)操作ライブラリ

※画像出典：
tidyverseプロジェクトページ
https://www.tidyverse.org/

© 2023 滋賀大学

- データ研磨で主に利用される R のパッケージには次のようなものがあります。
- R ではデータ処理に関する機能が標準で搭載されていますが、tidyverse というパッケージを利用することをオススメします。
- tidyverse は複数のパッケージを組み合わせたもので、tidyverse を呼び出すだけで、dpryr というデータ処理を早く実施できるものや、ggplot2 という自由度の高い可視化ができるものなど多くの機能が利用可能となります。
- 本講義で紹介する R のコードの多くは、tidyverse 専用のコードとなるので注意してください。

主に利用するパッケージPython：Pandas、NumPy

Pythonでデータを効率的に扱うために開発されたライブラリがPandasとNumPyである

- Pandas：ラベルを持った2次元のデータ構造（DataFrame）が利用可能となる
  - CSVやExcelなどの表形式データの読み込みが容易になる
  - DataFrameとして操作することで、列・行の除去・追加や集計処理が容易となる

- NumPy：シミュレーションにおける多次元配列処理が高速化できる
  - C 言語で実装されているため、行列の掛け算、逆行列、固有値などの計算が高速に可能
  - ndarray型という配列処理に特化した形式で処理が可能

© 2023 滋賀大学

- Python は、プログラマ向けに開発された言語で、データ分析だけでないソフトとの連携を得意としています。そのため、Python ではデータ処理を実施するための標準的な機能がなく、パッケージでデータ処理機能を呼び出す必要があります。
- 本講義では、データを縦横のフレームとして利用するための Pandas と効率的な演算処理を行う NumPy を利用していきます。

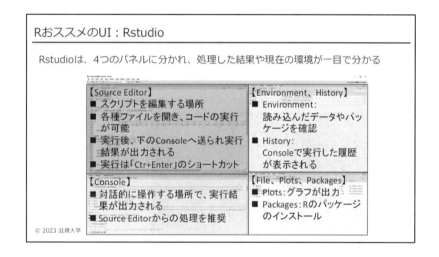

- 実際に自身の PC で利用する際、それぞれの言語を利用する画面操作感、いわゆる、ユーザーインターフェースも重要です。R では、Rstudio というソフトでの利用をオススメします。
- Rstudio は、スクリプトを編集する Source Editor、対話的に結果が確認できる Console、読み込んだデータや実行履歴を確認できる Environment、グラフの出力、パッケージのインストールを行う Plots・Pacakges の 4 つのパネルが同時に配置されています。
- Source Editor で処理するスクリプトを作成し、Ctrl を押しながら Enter を押すことで選択している箇所を実行することができ、その実行結果が console に出現します。
- これらの配置は自由に変えることができ、また、追加パッケージによって、対話的にマークダウンによる文書の作成なども可能となります。
- Rstudio は、R の公式サイトから R のインストーラーをダウンロードしインストールしたのちに、Rstudio の公式サイトから Rstudio のインストーラーをダウンロードし、インストールすることが可能です。

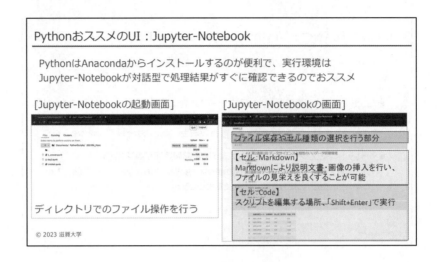

- Python の環境では、作成したスクリプトの実行結果がすぐに確認できる、いわゆる対話型で実行することができる jupyterNotebook の利用をオススメします。
- インストールは、個人で利用される場合は、Python の環境が整えられる Anaconda をインストールすることによって、jupyterNotebook の起動を行うことが可能となります。
- セルは「マークダウン」と「コード」の大きく 2 種類に分けられ自由に選ぶことができます。
- マークダウンは、文章を挿入することができ、スクリプトの可読性を高めます。また、図表の挿入も可能です。
- コードは、スクリプトを入力し、実行することが可能です。実行結果はセル下部に出現します。

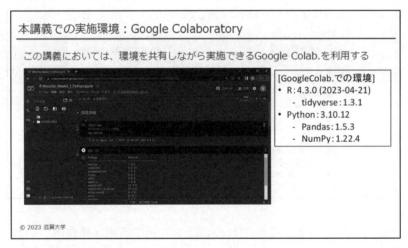

- 本講座において、画面上で表示させるのは Google Colaboratory を利用します。
- Google が提供するクラウドベースの Jupyter Notebook 環境で、無料で使用でき、Web ブラウザ上で実行されるため、ローカル環境に Python や Jupyter Notebook をインストールする必要がありません。
- 本講座では、こちらのバージョンで実施します。

まとめ

- データ分析とデータ研磨をワンストップで実施するために統計解析ソフトを利用する
- ソフトには強みとしている分野があるが、オープンソースであるR・Pythonでも十分、データの活用は可能である
- オープンソースはパッケージ・ライブラリというツール利用が効率的である
- 利用環境としては、Rstudio、Jupyter-Notebookがオススメ
  - ただし、本講義全体では、GoogleColab.を利用する

次回に続きます

© 2023 滋賀大学

補足（R、Rstudio、Anaconda のインストール方法、Google Colab の利用について）

R・Rstudio・Anaconda：いずれのソフトウェアも、ダウンロードサイトにアクセスし、適切なインストーラーをダウンロードし、インストールを実行します。

対象ソフト	ダウンロードサイト
R	https://cran.r-project.org/ 
Rstudio	https://posit.co/download/rstudio-desktop/
Anaconda	https://www.anaconda.com/download

Google Colab：Google アカウントが必要なため、アカウントがない場合は作成してください。Google Colab にアクセスし、利用することができます。

※ Google Colab：https://colab.research.google.com/?hl=ja

第2回　基礎スキルの理解1〜基本設定、ファイル処理、カラム・値操作〜

データサイエンスの必須スキル！データ研磨入門　　　　　　　滋賀大学

第3週第2回
基礎スキルの理解1
〜基本設定、ファイル処理、カラム・値操作〜

株式会社帝国データバンク
大里 隆也

© 2023 滋賀大学

第3週第2回目では、具体的なデータ研磨の基礎スキルを理解します。

今回の講義内容

R/Pythonの基本設定やファイル処理、カラム・値操作などを学ぶ

- ■基本設定：プロジェクトの管理、パッケージの呼出し
- ■ファイル処理：csvファイルの読み込み、データ確認、ファイルの出力
- ■カラム操作：カラムの選択、新しいカラムの作成、カラム名の変更
- ■値操作：文字列の切り出し、文字の置換

プログラムを
つくっていくよ

© 2023 滋賀大学

- 分析を行う前の準備や、ファイル処理、データフレームのカラム操作、値の操作の習得を目指します。
- 今回から具体的なプログラムを作成していきます。

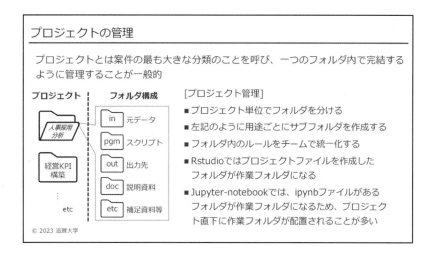

- まず、分析を行う前準備としてプロジェクトの管理を行いましょう。
- 基本的に、分析は目的や顧客など案件に応じて、必要なデータやスクリプト、説明資料が異なります。
- 案件のもっとも大きな分類をプロジェクトと呼び、一つのプロジェクトは一つのフォルダ内で完結するようにしましょう。
- 1つのフォルダ内に、元データ、スクリプト、出力先、説明資料など用途ごとにサブフォルダを作成し、管理を行います。
- サブフォルダの作成ルールは分析チーム内で合意しておくと、誰が見てもどこに何があるのか理解できるので便利です。

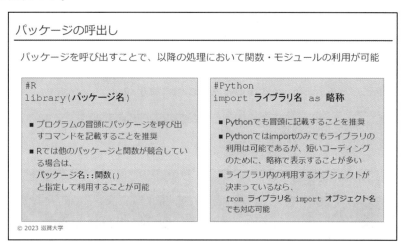

- R と Python ではパッケージの利用を推奨していますが、まずは、そのパッケージを事前にインストールし、プログラム上で呼び出す必要があります。
- インストールについては第 4 週で紹介しますが、ここではパッケージ・ライブラリの呼出しについて説明します。
- R では、library（パッケージ名）と入力することで、呼び出すことができます。
- Python では、import ライブラリ名 as 略称で利用することができます。いずれも、プログラムの可読性を高めるために、冒頭に利用するパッケージの呼出しを記載するのがオススメです。また、Python では短いコーディングのために、ライブラリを呼び出す際に短い呼称をつけることが多いです。
- Pandas であれば pd という略称を利用することが多いです。

- ここからは、実際の処理に入ります。まずはファイル操作です。
- R・Python にデータの読み込みを行いましょう。ここでは、表形式ファイルの代表である CSV ファイルの読み込みを行います。
- CSV ファイルは、カンマで区切られた値ファイルという意味で、カラムの属性情報などがないテキストファイルとなります。
- R では read_csv で、Python では pd.read_csv で実施できます。
- ただし、CSV ファイルは単純なテキストファイルであるため属性情報はなく、実行者自身が設定する必要があります。タイトル行、いわゆるヘッダーのありなし、データ部分が始まる行数、ファイルの文字コードなどを指定するためのオプションが用意されており、引数で指定することができます。これらの設定は、事前に CSV ファイルを開いて確認するようにしましょう。

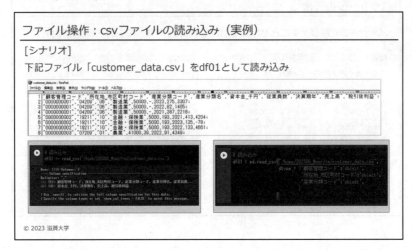

- 関数の紹介の後に、企業におけるダミーデータを用いた処理シナリオの実行結果の実例を示します。
- tidyverse では、顧客管理コードや所在地のコードなどの数値しかないカラムでも、0 から始まる数字が含まれていれば最初の 0 を判別し文字列としますが、Pandas では自動では 0 から始まる数字は数値列としてゼロを消してしまうため、0 を含むコードとして扱いたい場合はカラムの属性を設定する dtype で文字列として設定します。

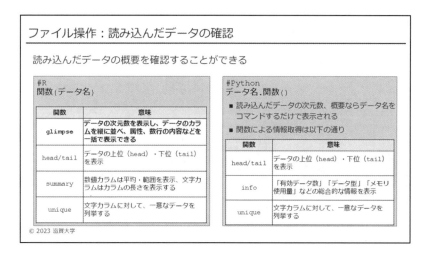

- ファイルの読み込みでは、読み込んだデータが表示されませんので、正しく読み込めたか不明です。
- ここでは、読み込んだデータの詳細の確認を行います。
- R では glimpse 関数の利用、Python ではデータ名をコマンドしたり、info 関数を利用するのがオススメです。
- 他にもデータの上部下部、データの範囲の概要、ユニークなデータ件数などを表示させることもできます。

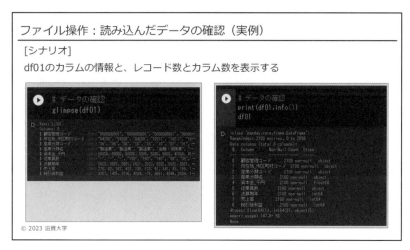

- いずれも 2100 行、9 列存在していることが確認できます。
- 読み込み以外でも操作したデータは表示をして、意図どおりに作成できているか確認する癖をつけましょう。

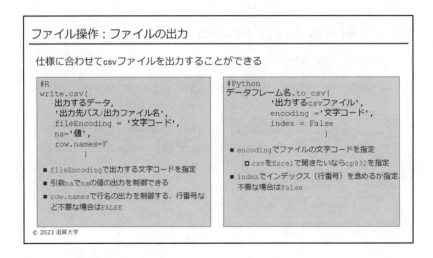

- データ研磨したあとに、そのデータを他の人と確認したり、他のソフトで分析を実施する場合に、データを出力することが必要となります。
- R では write.csv、Python ではデータフレーム名.to_csv でデータを出力します。
- その後の作業における仕様に合わせて、読み込み時と同じように引数にて CSV ファイルの設定を変えることができます。

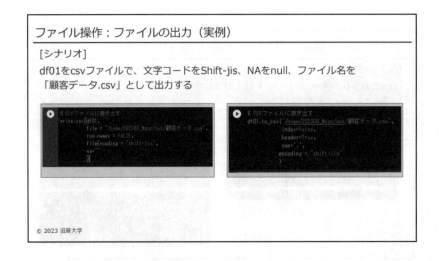

- ファイル出力のコードを実行してもログには何もでませんので、出力した CSV ファイルを確認して、意図どおりに出力されているかを確認するようにしましょう。
- この時点でミスが存在すると他の人に迷惑をかけますので、セルフチェックは必ず実施しましょう。

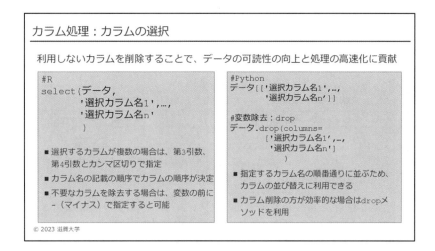

- 次に、データのカラム（列、変数）の操作を行います。まずは、必要なカラムのみを残してみましょう。
- 利用しないカラムを削除することによりデータの容量が削減され、処理の高速化と人の可読性を高めることができます。
- R では select 関数、Python では二重の角括弧によってカラムを選択できます。
- 記載したとおりにカラムの順番も設定することができます。
- カラムを除去した方が効率的な場合は、R では select 関数で変数の前にマイナスをつける、Python では drop を利用することで、特定のカラムだけを除去できます。。

- カラムを残すだけでなく、カラムの順番も変わっていることが分かります。

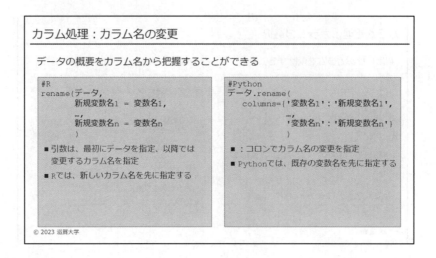

- 次に、カラム名の変更です。
- カラム名を見て中身が理解できるように単位を付けたり、名前を単純化することで、データによるミスコミュニケーションや作業ミスを減らし、効率的に作業することができます。
- いずれも rename にてカラム名を変更することができますが、R では新しいカラム名を前に、Python では後に指定するという違いがあります。

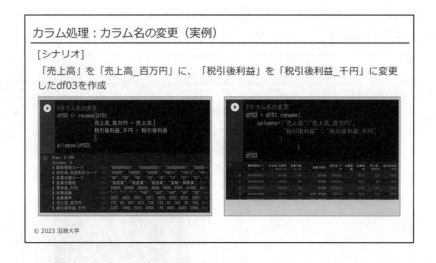

- 実施した後に、カラム名が正しく変更されているか実際に表示して確認するようにしましょう。

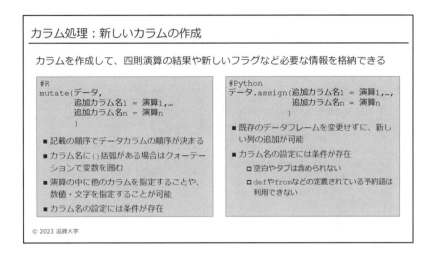

- カラム処理の最後として、新しいカラムを作成する方法を紹介します。
- 四則演算やフラグなど分析に必要な情報を格納するために新しいカラムを作成するのは必須です。
- R では mutate 関数、Python では assign を利用します。
- 新しいカラムを作成する際に、他のカラムを利用することもできます。
- R では、カラム名に丸括弧などの特殊文字が存在する場合はクォーテーションでカラム名を囲む必要があります。

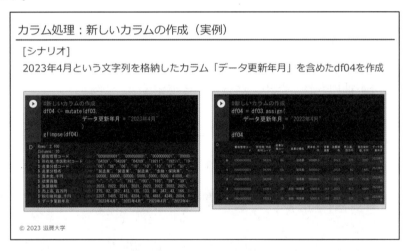

- 文字列を指定する場合は、クォーテーションで囲む必要があります。
- ここでは、すべての要素を「2023 年 4 月」とした「データ更新年月」というカラムを作成しています。

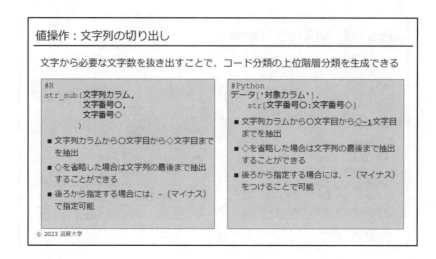

- では、ここからは文字列の操作を行う値操作について説明します。

- まずは、必要な文字列を抜き出す、文字列の切り出しを行います。コードで分類管理をされているものは固定された桁数で表されることが多いです。

- たとえば、都道府県コードは 2 桁、市区町村コードは 5 桁で表示されますが、市区町村コードから上位 2 桁を抽出することで、都道府県コードを再現できます。

- R では str_sub（対象データ・カラム, 文字列の抜き出し開始位置, 文字列の抜き出し終了位置）、Python では str[文字列の抜き出し開始位置, 文字列の抜き出し終了位置]によって文字列を抜き出します。

- str とは文字列を表す string を意味しています。いずれも後ろから指定する場合はマイナスで指定できます。また、Python では、カウントする数字が 0 から始まること、うしろの指定数字が引く 1 された文字数分が抽出されるため、注意が必要です。

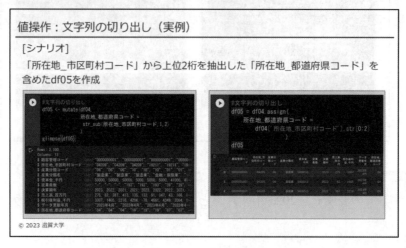

- 市区町村コードは 5 桁で上位 2 桁が都道府県コードとなりますので、上位 2 桁を抜き出しています。

- R では指定どおり 1 文字目から 2 文字目の 2 文字が抜き出されていますが、Python では 0 から 2 を指定することで、0 文字目から 1 文字目の 2 文字が抜き出されています（R では 1 文字目が最初の文字、Python では 0 文字目が最初の文字となります）。

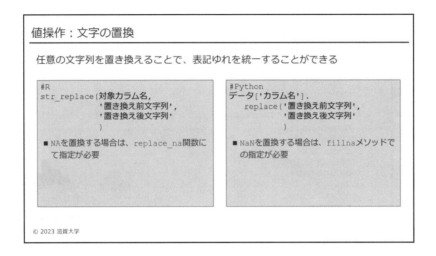

- 最後に、文字の置換を行います。
- 文字列を置き換えることで、日本語によくある表記揺れの対応を行うことができます。
- R では str_replace(対象カラム名,'置き換え前文字列','置き換え後文字列')、Python では データ['カラム名']を指定し、replace('置き換え前文字列','置き換え後の文字列')で文字列の 置き換えができます。
- R、Python ともに、欠測を置き換える場合には別の関数が必要となります。

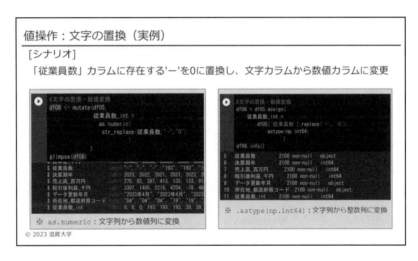

- ここでは、従業員数カラムに含まれたハイフンを0に置換してカラム属性を数値に変更しています。
- 従業員数カラムはハイフンが含まれているために文字列として読み込まれています。ハイフンを0に置き換えることで、数値列に変換することができます。
- R では as.カラム属性、Python では astype(カラム属性)でカラムの属性を変更できます。

まとめ

『基礎スキルの理解1～基本操作、ファイル処理、カラム・値操作～』
- ■ 基本設定
  - □ プロジェクトの管理
  - □ パッケージの呼出し
- ■ ファイル処理
  - □ csvファイルの読み込み・データの確認
  - □ ファイルの出力
- ■ カラム操作
  - □ カラムの選択
  - □ 新しいカラムの作成
  - □ カラム名の変更
- ■ 値操作
  - □ 文字列の切り出し
  - □ 文字の置換

次回に
続きます

© 2023 滋賀大学

補足（パッケージ・ライブラリの呼び出し、データ入出力、データフレームの操作に関する関数まとめ）

操作	R	Python
パッケージの呼び出し	library	import
csv ファイルの読み込み	read_csv	read_csv
csv ファイルへの出力	write.csv	to_csv
データの詳細確認	glimpse	info
特定のカラムの選択	select	データ名[[選択カラム名]]
特定のカラムの削除	select	drop
カラム名の変更	rename	rename
新しいカラムの追加	mutate	assign
文字の一部の切り出し	str_sub	str
文字の置換	str_replace	replace

注：ここで紹介する R の関数のほとんどが tidyverse パッケージの関数です。また、Python の read_csv 関数は Pandas ライブラリの関数です。これ以降についても、R の関数のほどんどは tidyverse パッケージの関数です。

第3回　基礎スキルの理解2　～レコード操作、結合処理～

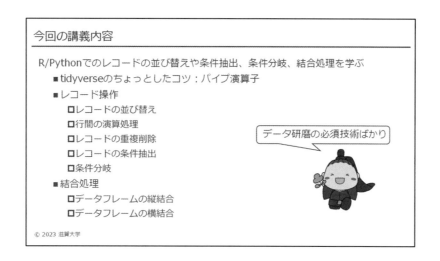

第3週第3回目でも引き続き、データ研磨の基礎スキルを理解します。

- 第3回では、コーディングが楽になる R の tidyverse でのコツや、データフレームのレコードの並び替えや条件抽出などのレコード操作、2つのデータフレームを結合する結合処理を行います。

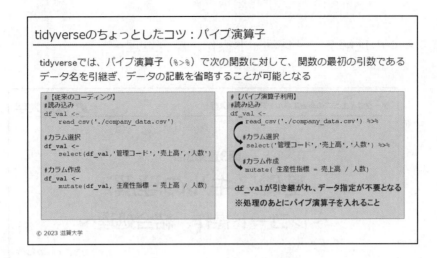

- tidyverse には、それぞれのステップで生成された結果を、次のステップの入力として簡潔に渡すことができるパイプ演算子があります。
- パイプ演算子を用いることで、データ指定をはじめの1回で済ませることができ、最初の引数にデータを指定する関数の表記を減らすことが可能となります。
- 左は従来のコーディングでステップごとにデータを指定していますが、右のパイプ演算子を利用した場合だと、関数のデータ指定部が省略され、出力のデータフレームの記載もなくなっています。
- パイプ演算子は必ず、処理の後につけることとなっており、改行させると機能しなくなるので注意してください。今後提示するスクリプトでは、パイプ演算子を利用していきます。

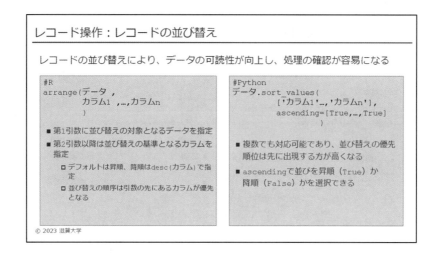

- レコード操作、つまり縦方向のデータの操作について説明します。一つ目はレコードの並び替えです。

- レコードの並び替えによって、大小関係やコードによる規則性などデータの可読性が向上します。

- R では、arrange 関数、Python では、sort_values を用います。いずれも昇順が標準ですが、降順にする場合は R ではディセンディングの desc で指定、Python はアセンディングで false を指定します。

- 変数の出現順に優先順位が決まります。

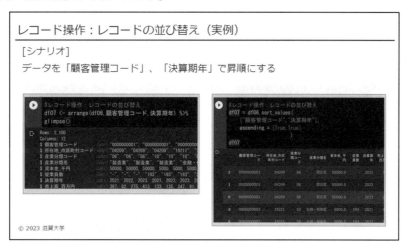

- サンプルコードはこのとおりですが、この例だと 2 カラム指定しており、顧客管理コードを優先して並び替えていることが分かります。

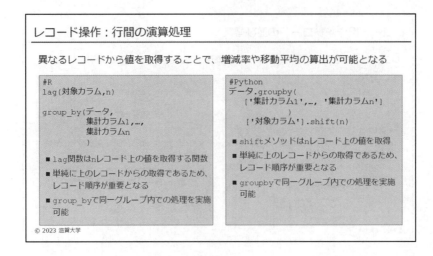

- 次に、異なる行の情報を用いる行間の演算処理です。
- 上のレコードから値を取得することで、増減率や移動平均の算出など時系列の操作が容易になります。
- R では lag 関数、Python では shift で数レコード先のデータの取得が可能です。
- 引数によって、何レコード先のデータを取得するかを指定することができます。ただし、注意点として、事前にレコードの並びが意図どおりに並んでいることが必要です。
- また、異なるレコードから取得する場合、グループごとに処理を行うことが多くあります。その場合は、R では group_by 関数、Python では groupby 関数でグループごとの処理が可能です。

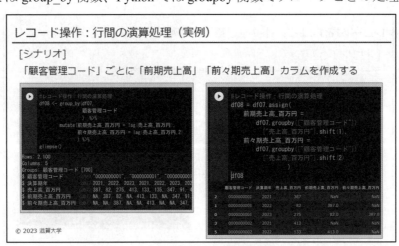

- 先ほど、企業・決算年ごとに並べたデータに対して、売上高の変化を求めるために、企業内での過去の売上高を1つのレコードにしていきます。
- 異なる企業の売上高を取得しても意味がないため、groupby で顧客管理コードを指定しています。
- 前期、前々期2つのレコードを取得するため、2つのカラムを作成しています。

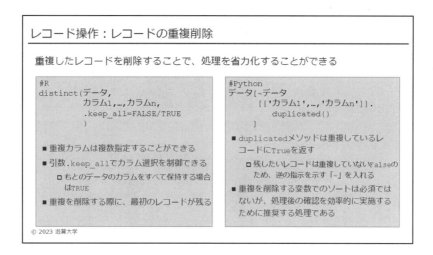

- 次に、重複したレコードの削除を行います。
- R では distinct、Python では duplicated と~（チルダ）を用います。
- いずれも、削除する際は最初のレコードが残ります。
- R では、引数 keep_all の標準が false であり、この場合、指定した（重複を調べた）カラムしか残りません。TRUE を選ぶことですべてのカラムが残ります。。Python では、duplicated では重複しているレコードに TRUE を返すため、重複していない FALSE を残すために、反転の意味があるチルダを用います。

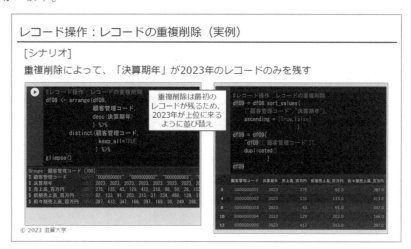

- この例では決算期年が 2023 年のレコードのみを重複削除によって残そうとしています。
- 重複削除は最初のレコードが残る性質を利用して、決算期年の 2023 年が上に来るように並び替えを行ってから、顧客管理コードで重複削除を行っています。
- もし、並び替えを行わないままだと、2021 年のレコードが残ってしまいます。

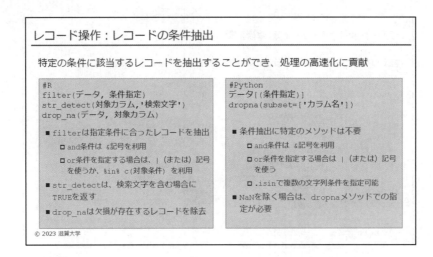

- 次に、レコードの条件抽出を行います。
- 特定条件でデータを絞ることで、処理の高速化が実現できます。
- R では、検索対象により方法が異なり、条件指定の場合は filter、文字の検索は str_detect、NA を除去するには drop_na となります。
- Python では、角括弧と丸括弧を組み合わせるだけで様々な条件指定が実現できます。ただし、NaN を除去する場合は dropna を用います。
- いずれも、条件指定の際に、「かつ」を表す「&」、「または」を表す「|」が利用できます。

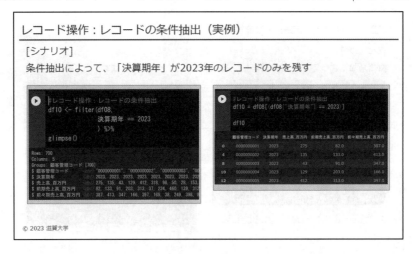

- こちらも 2023 年を残す作業ですが、今回は条件抽出を用います。
- 条件抽出の際に等号を示す場合は「=」を 2 つ重ねます。
- 重複削除と同じく 700 レコード残りました。

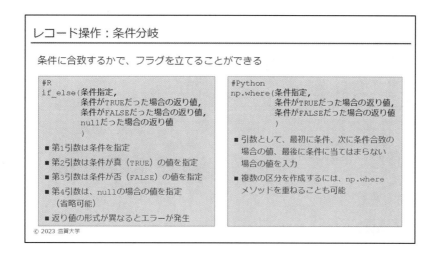

- レコード操作の最後は、条件分岐です。
- 条件によってフラグや値を入れることで、自由なカラムを作成することができます。
- R では if_else、Python は np.where を用います。条件が真か否かで返す値を指定します。
- ここで「np」は NumPy ライブラリを読み込んだもので、事前に import numpy as np を実行している前提です。
- 関数を重ねて利用することで、複数の条件分岐を作成することができます。

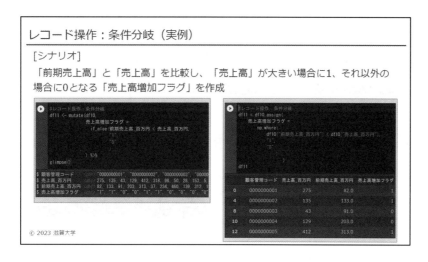

- ここでは売上高の大きさの比較を行っています。
- 意図どおりに、値が入っているか必ず確認しましょう。

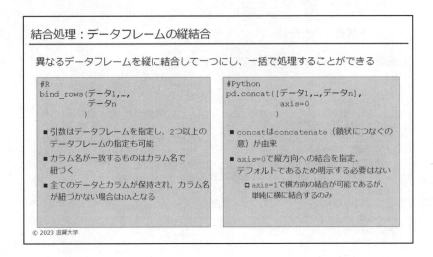

- ここからは、データフレームの結合処理を説明します。

- まずは、縦方向に2つのデータを結合する処理です。

- R では bind_rows、Python では pd.concat を用います。

- 縦に結合する際に、同じカラム名で結合され、カラム名が異なる場合は NA となります。

- Python の pd.concat は axis=1 で横方向にも結合できますが、単純に横にくっつけるのみで、事前に並び替えやレコード数の一致などが必要となります。

- データ数が少なく目視で十分確認できる場合は、横結合でも利用できます。

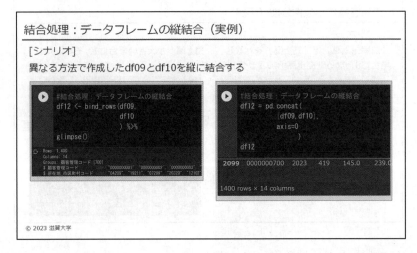

- ここでは重複削除で作成したデータと条件抽出で作成したデータの二つを縦に結合しています。

- すべて同じカラム名なので、元々のカラム数 14 で、レコード数が倍の 1400 となっています。

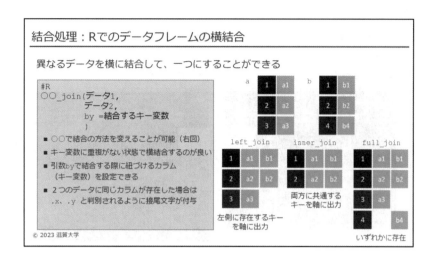

- 続いて、異なるデータの横結合ですが、R と Python で分けて紹介します。
- 横結合を行う際のオススメは、紐づく変数、いわゆるキー変数を指定する方法です。
- 用いる関数によって、残されるレコードが異なります。
- 最初に指定したデータのレコードをすべて残す場合は left_join、両方に共通するレコードを残す場合は inner_join、いずれかに存在するレコードを残す場合は full_join となります。
- by=で結合するキー変数を指定しましょう。横結合の際の注意点として、キー変数がユニークか確認しましょう。
- キー変数が複数対複数の横結合は挙動が意図どおりにならない場合がありますので、基本的には片方のデータのキー変数がユニークであることをオススメします。

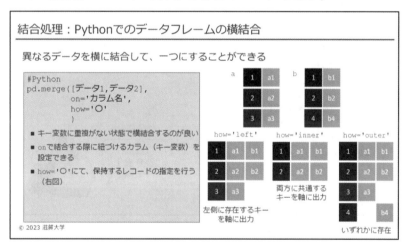

- Python でも横結合の考え方は一緒ですが、how で残すレコードの選択、on でキー変数を指定します。
- 最初に指定したデータのレコードをすべて残す場合は left、両方に共通するレコードを残す場合は inner、いずれかに存在するレコードを残す場合は outer となります。
- こちらも、基本的にはキー変数はユニークな状態にしておくのが望ましいです。

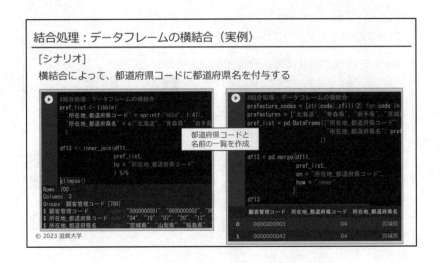

- ここでは都道府県コードをキーとして都道府県名のデータを横結合で付与します。
- 最初に紐づける都道府県コードと都道府県名の都道府県マスタデータを作成して、結合を行います。
- 今回は、都道府県マスタが都道府県コードでユニークなので、意図どおりに横結合できます。
- マスタに情報漏れがないため、両方に存在する inner で実施します。
- 結果としては、もともとのレコード 700 レコードと変わりないため、全ての都道府県名が紐づいたことが分かります。

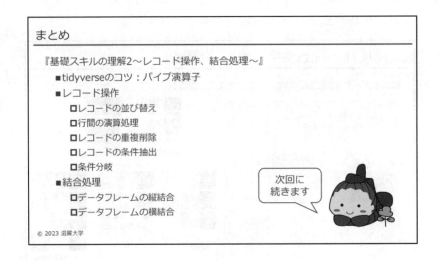

補足（レコード（行データ）の操作、データフレームの結合に関する関数まとめ）

操作	R	Python
レコードの並び替え	arrange	sort_values
行をずらす	lag	shift
グループごとの集計	group_by	groupby
レコードの重複削除	distinct	duplicated
条件によるレコード抽出	filter （条件指定） str_detect （文字検索）	データ名[(条件)] isin （複数の文字列条件）
欠測レコードの除去	drop_na	dropna
条件によるレコード操作	if_else	where
データフレームの縦結合	bind_rows	concat
データフレームの横結合	left_join inner_join full_join	merge

注： Python の where 関数は NumPy ライブラリの関数、concat 関数、merge 関数は Pandas ライブラリの関数です。

第4回　基礎スキルの理解3　〜構造変換・集計処理、可視化〜

第3週第4回目では、データ研磨の基礎スキルと可視化について紹介します。

● 今回は縦に長いデータ、横に広いデータの構造を変換する処理や、グループ集計、データを考察する可視化を説明していきます。

構造変換：縦長データと横長データ

■ 縦長：1行から1つの情報を読み取るので、**機械**が理解しやすい

■ 横長：行と列の交差点から1つの情報を読み取るため、**人間**が理解し処理しやすい

特徴項目	縦長（Long）	横長（Wide）
人間が理解しやすい	×	○
コンピュータが理解しやすい	○	×
データの結合のしやすさ	×	○
新しいカラムの追加がしやすい	○	×

long_data

企業コード	year	従業員数
B02111302	2012	1254
B02111302	2013	768
B02111302	2014	1242
B02117802	2012	82
B02117802	2013	376
B02117802	2014	374

wide_data

企業コード	従業員数_2012	従業員数_2013	従業員数_2014
B02111302	1254	768	1242
B02117802	82	376	374

© 2023 滋賀大学

- はじめに、構造変換です。
- 縦に長いデータを long データ、横に広いデータを wide データと呼びますが、それぞれ性質が異なります。
- long データは属性ごとに縦にデータが並んでおり、コンピューターが読み込みやすく整理されています。
- 縦に属性が並んでいるため条件分岐でカラムの作成は行いやすいです。
- 一方で、wide データはコンパクトで一度に表示できる量が多いため、人間が理解しやすいデータとなっています。
- キー変数が分かりやすく、結合は楽です。
- これらはどちらが正しいというのでなく、分析の目的に沿って、いずれが適切か見据えながらデータを研磨しましょう。

補足（縦長データと横長データ）

縦長データ：カラム理解は最低限で済むが、スクロールを求められる（機械が読み込みやすい）

横長データ：画面いっぱいに表示することで複数の国を確認することが可能（人の可読性が高い）

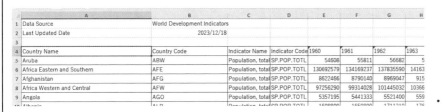

※出典：THE WORLD BANK 人口合計（https://data.worldbank.org/indicator/SP.POP.TOTL）

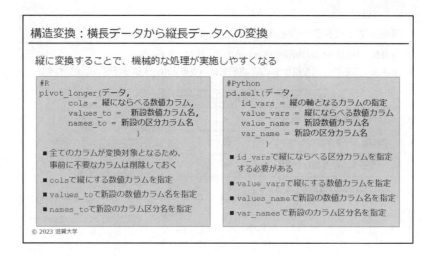

- まずは、wide データを long データに変換します。
- R では pivot_longer、Python では pd.melt を利用します。
- 引数の種類が多いので、この方法は小サンプルで試しながら実施するのがオススメです。
- ただし、R の場合は、全てのカラムが変換の対象となってしまうため、必要なカラムのみに限定しましょう。

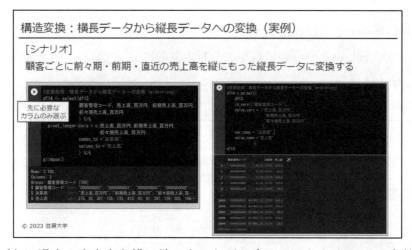

- 前回、企業ごとに過去の売上高を横に並べましたが、今回はそれらを一つの変数として縦に配置し、各データがどの変数かを示すラベル変数を加えています。
- R では先に必要なカラムのみを選んでいます。

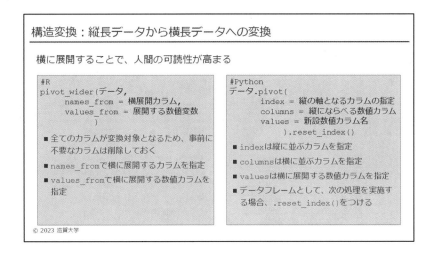

- 次に、long データを wide データに変換します。
- R では pivot_wider、Python では pivot を用います。
- こちらも先ほどと同様で引数を覚えるのが難しいので小サンプルで試しながら実施するのがオススメです。
- ただし、Python の場合、変換後も引き続きデータフレームとして利用していくには、reset_index を最後につけます。

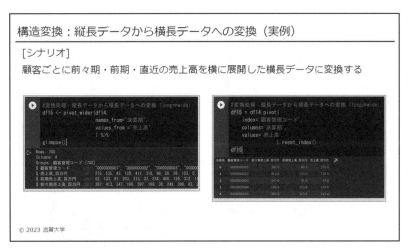

- ここでは縦に配置した売上高を横長に変換します。
- 変換する前のカラム・レコード数に戻ったことが分かります。

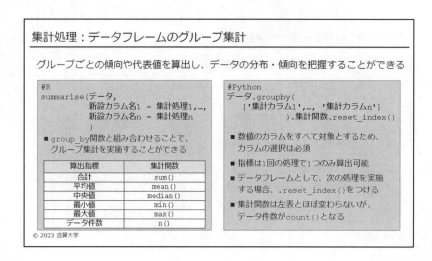

- 次は、集計処理です。
- 集計処理はレポーティングの際に用いられ、データの分布・傾向を把握することができます。
- まずは、グループ集計を行います。グループ集計は、グルーピングするカラムがどれかを指定して、何の集計を行うかを指定します。
- グルーピングは、R は group_by、Python は groupby を用いて、集計は、R は summarise、Python は集計関数を指定し、算出指標には合計や平均値などを指定できます。
- また、Python の場合、集計処理でもデータフレームとして利用していくには、reset_index を最後につけます。

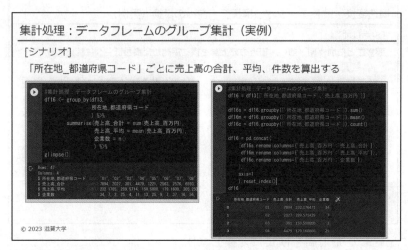

- ここでは、所在地ごとに売上高の合計、平均、件数を算出します。
- R の場合、複数指標を算出するのに summarise は便利ですが、Python の場合は 1 つの処理で 1 指標のみなので複数回指定する必要があります。
- 1 つのデータにするために、横結合として concat、axis=1 を用いていますが、これはレコード数や並びが不変であるためにできることです。

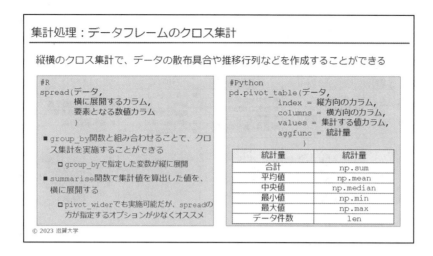

- 次に、クロス集計です。
- 縦横のテーブルにすることで、wide データの特徴と同様にコンパクトで人が理解しやすくなります。
- R では groupby・summarise で集計した結果を spread でテーブル形式に展開します。
- Python では pd.pivot_table のみで実施可能です。

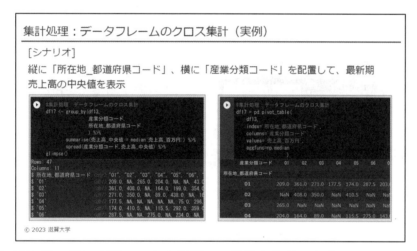

- 今回は、縦に所在地、横に産業コードを展開し、件数を集計します。
- R では、groupby、summarise で集計した結果を spread で横に広げています。
- 一方、Python では1つの処理のみで完結しています。

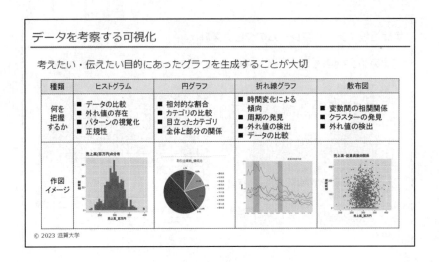

- 最後に、可視化です。
- 可視化は作成の簡易さから選ぶのではなく、伝えたいメッセージ、何を確認したいかに応じて、最適なチャートやグラフを選択することが重要です。
- 例えば、数量の比較や変化には棒グラフや折れ線グラフ、カテゴリごとの分布の表示には円グラフやヒストグラムが適しています。
- R と Python では、データフレームに適した可視化を実施できるパッケージがありますので、今回はそれを紹介します。

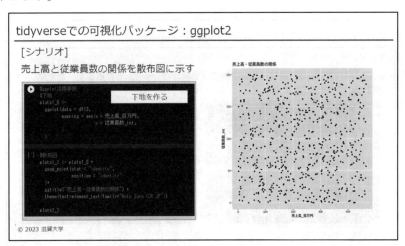

- R では、tidyverse のパッケージ群に含まれている ggplot2 を用います。
- 可視化のイメージとして、最初に、縦軸、横軸や色、形、大きさなど下地を作成します。
- 次に、その下地の上に載せる、グラフや軸の名前などの要素を追加していきます。
- ここでは、作成したデータの売上高と従業員数の関係を可視化したものを示します。
- なお、今回用いているデータはダミーなので、完全にランダムになっていることが分かります。

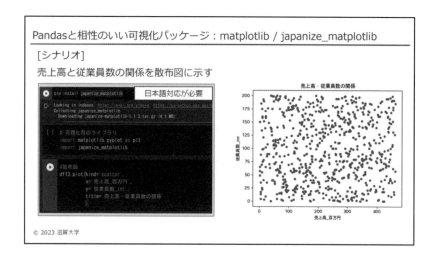

- Python では matplotlib と japanize_matplotlib を用います。
- japanize_matplotlib は日本語対応のためのものです。
- matplotlib のみで、多彩なグラフやプロットの作成が可能であり、カスタマイズ性も高く、データの洞察力を高めるために幅広いオプションと柔軟性を提供しています。
- R と同様に散布図を作成していますが、引数のみでそれぞれを指定することで表現することが可能です。

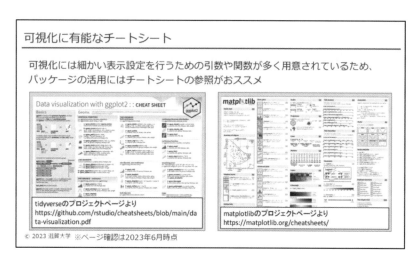

- 可視化のパッケージは、いい塩梅でレイアウトを設定してくれますが、細かい指定も可能です。
- しかし、その自由度が高い反面、引数での指定が煩雑になり、とても覚えられません。
- そのため、可視化にはチートシートの利用がオススメです。
- それぞれのプロジェクトページにてチートシートが用意されていますので、実施したい可視化のイメージを持ちながら、参照しましょう。
  - ggplot2 のチートシート：https://github.com/rstudio/cheatsheets/blob/main/data-visualization.pdf
  - matplotlib のチートシート：https://matplotlib.org/cheatsheets/

第3週まとめ

『データ研磨スキルの習得』
- ■データサイエンスと相性の環境
- ■データ研磨基礎スキル
  - □ファイル操作　：読み込み、確認、出力
  - □カラム操作　　：選択、新設、名前の変更
  - □値操作　　　　：切り出し、置換
  - □レコード操作　：並び替え、条件抽出
  - □結合・構造変換：縦結合、横結合、縦⇔横変換
  - □集計処理　　　：グループ・クロス集計
- ■データを考察する可視化

これで第3週は終わりです

© 2023 滋賀大学

- これで、第3週データ研磨スキルの習得は終了です。
- 今は、みなさんの引き出しにスキルを入れて準備した状態です。第4週、第5週での実際のデータを用いた演習問題を実践してみてください。

補足（データ変換、クロス集計、可視化の関数、パッケージまとめ）

操作	R	Python
縦長データから横長データへの変換	pivot_longer	melt
横長データから縦長データへの変換	pivot_wider	pivot （変換後のデータをデータフレームとして使う場合は、reset_index 関数が必要）
クロス集計	groupby、summarize で集計後に spread	pivod_table
可視化	ggplot2 パッケージ	Matplotlib パッケージ

注：Python の melt 関数、pivot_table 関数は Pandas ライブラリの関数です。

第4週：データ研磨スキル習得演習

第4週では、学習したデータ研磨の手法を実際に活用し、使い方を身に付けることを目指す。そして、研磨されたデータから気付きを得る方法の例を紹介する。各回の内容とその目標を以下に示す。

	内容	到達目標
第1回	日本プロ野球選手データのデータ研磨（R編）	R を使ったデータ研磨をできるようになる。
第2回	日本プロ野球選手データのデータ研磨（Python 編）	Python を使ったデータ研磨をできるようになる。
第3回	ゲームハード販売台数のデータ研磨（Python 編）	Python を使ったデータ研磨を行い、データの解釈の方法を理解する。
第4回	ゲームハード販売台数のデータ研磨（R 編）	R を使ったデータ研磨を行い、データの解釈の方法を理解する。

第1回　日本プロ野球選手データのデータ研磨（R編）

- 第3週では、データ研磨を行うために、RやPythonの関数を扱いました。
- プログラミングに使用する関数を知っていても、どのような作業をどのような関数で実行するのかを考え、実際に活用することは、簡単なことではありません。
- 第4週では簡単なデータ研磨の実施例を紹介し、データ研磨を行うための組み立て方を学習してもらうことを目指します。

イントロダクション

■第1回と第2回はWebサイト「プロ野球データ Freak」で公開されている，
2022年の横浜DeNAベイスターズの選手のデータのデータ研磨を行っていく
　➔ データのダウンロード先：https://baseball-data.com/player/yb/

■今回はデータの確認と R によるデータ研磨を実施

■次回は同じデータに対して，Python でデータ研磨と解釈を行う

© 2023 滋賀大学

- 第 4 週の第 1 回と第 2 回は、Web サイト「プロ野球データ Freak」（https://baseball-data.com/player/yb/）で公開されている、2022 年の横浜 DeNA ベイスターズの選手一覧のデータをダウンロードし、このデータを研磨します。
- 第 1 回はデータの確認と R によるデータ研磨を、次回第 2 回では、同じデータに対して Python を使ったデータ研磨を行い、その解釈まで実施します。

分析目的とデータの確認，作業方針の策定

■元データ

No.	選手名	守備	生年月日	年齢	年数	身長	体重	血液型	投打	出身地	年俸(推定)
00	宮本 秀明	外野手	1996/7/24	26歳	5年	180cm	83kg	O型	右左	熊本	865万円
0	大田 泰示	外野手	1990/6/9	32歳	14年	188cm	96kg	O型	右右	広島	5,000万円
1	桑原 将志	外野手	1993/7/21	29歳	11年	174cm	78kg	B型	右右	大阪	10,500万円
...	...	...	...	...	...	...	...	...	...	...	...

■作成したいデータ

守備位置	守備位置毎の総年俸	守備位置毎の平均年俸	年俸割合（※）
内野手			
外野手			
投手			
捕手			

※ チームの総年俸に占める各守備位置の選手の年俸の合計年俸の割合

■必要な作業は①「年俸(推定)」の値の数値化，②必要な変数の選択（select 関数），
③守備位置毎の総年俸や平均年俸の計算（groub_by 関数，sum 関数，mean 関数）

© 2023 滋賀大学

- 取得したデータから、日本プロ野球の横浜 DeNA ベイスターズ選手一覧のデータ、背番号である No.、選手名、守備位置、生年月日、年齢、身長や体重、出身地や年俸などが確認できます。
- 守備位置ごとの総年俸、平均年俸、年俸の割合をまとめたデータを作成することを目指します。
- そのためには、「年俸の数値化」、「必要な変数の選択」、「守備位置ごとの総年俸や平均年俸の計算」が必要であると考えられます。

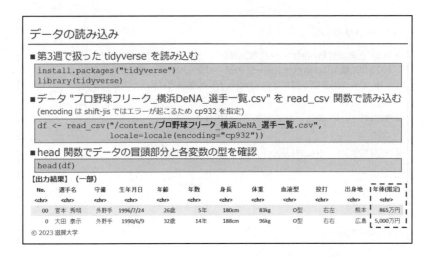

- R でパッケージをインストールする場合は、install.packages を使います。まず、tidyverse を install.packages でインストールし、library で読み込みます。
- "プロ野球フリーク　横浜 DeNA　選手一覧" という csv ファイルを read_csv 関数で読み込み、データフレーム df に格納します。このとき、encoding は cp932 を指定します。
- データが正しく取り込まれているか確認するため、head 関数でデータの冒頭部分と、各変数の型を確認します。
- 文字列型は平均や割合を求める関数を使えないため、年俸を数値型に変換する必要があります。

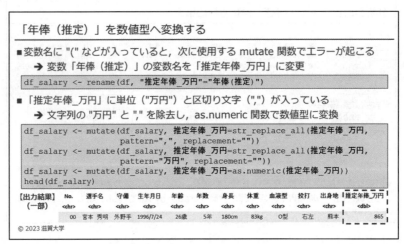

- mutate 関数は、変数名に「(」などが入っているとエラーが起こるため、rename 関数を使って変数名を「年俸（推定）」から「推定年俸_万円」に変更します。
- 変数の中にある「万円」や区切り文字の半角カンマといった文字列を除外して数字だけの列にし、as.numeric 関数で数値型に変換します。
- head 関数を使ってデータの確認を行うと、「年俸（推定）」の列名が「推定年俸_万円」となっていること、列の型が数値型となっていることが確認できました。

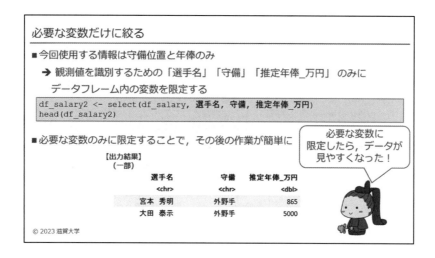

- 今回のデータ研磨で使用したいのは「守備位置」と「年俸」の情報です。
- 各観測値を識別する情報の「選手名」、「守備」、「推定年俸」の列だけを取り出します。
- select 関数でこれらの変数だけに絞り、新しいデータフレーム df_salary2 に格納します。
- head 関数でデータの冒頭部分を確認してみると、選手名、守備、推定年俸だけのデータフレームを作成できたことが分かります。

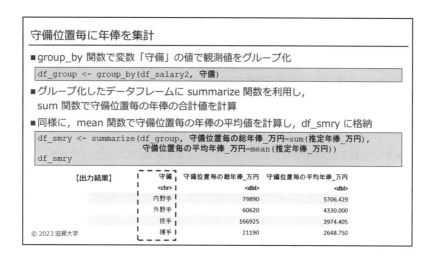

- 守備位置ごとに年俸を集計するため、group_by 関数を使って、変数「守備」の値で観測値をグループ化し、新しいデータフレーム df_group に格納します。
- 次に、値を集計するため、グループ化したデータフレームに summarize 関数を使い、sum 関数で守備位置毎の年俸の合計値を計算します。
- それに合わせて、守備位置毎の平均年俸を計算するため、mean 関数で守備位置毎の年俸の平均値も計算します。
- 推定年俸の合計を列「守備位置毎の総年俸_万円」に、平均を列「守備位置毎の平均年俸_万円」に入れることにし、その結果を、新しいデータフレーム df_smry として格納します。
- データの中を確認すると、守備が「内野手」、「外野手」、「投手」、「捕手」の４つの要素となっており、それぞれの総年俸と、平均年俸が集計できていることが確認できました。

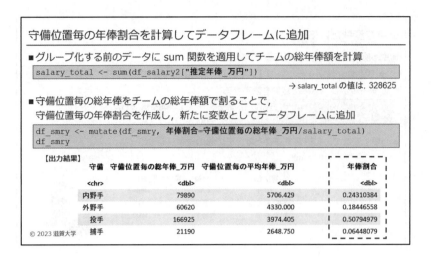

守備位置毎の年俸割合を計算してデータフレームに追加

■グループ化する前のデータに sum 関数を適用してチームの総年俸額を計算

```
salary_total <- sum(df_salary2["推定年俸_万円"])
```
→ salary_total の値は、328625

■守備位置毎の総年俸をチームの総年俸額で割ることで，
守備位置毎の年俸割合を作成し，新たに変数としてデータフレームに追加

```
df_smry <- mutate(df_smry, 年俸割合=守備位置毎の総年俸_万円/salary_total)
df_smry
```

【出力結果】

守備	守備位置毎の総年俸_万円	守備位置毎の平均年俸_万円	年俸割合
<chr>	<dbl>	<dbl>	<dbl>
内野手	79890	5706.429	0.24310384
外野手	60620	4330.000	0.18446558
投手	166925	3974.405	0.50794979
捕手	21190	2648.750	0.06448079

© 2023 滋賀大学

- 守備位置毎の年俸割合を計算してみます。
- チームの年俸の合計値を計算するため、グループ化する前のデータに sum 関数を適用して、チームの総年俸を求め、その結果を salary_total に格納します。
- salary_total の値は、32 億 8625 万円となっています。
- 守備位置毎の総年俸を、チームの総年俸である salary_total で割って、守備位置毎の年俸割合を計算し、新たに「年俸割合」という変数としてデータフレーム df_smry に追加します。
- 作成したいと思っていた、守備位置毎の総年俸、平均年俸、年俸の割合をまとめたデータを作成することができました。

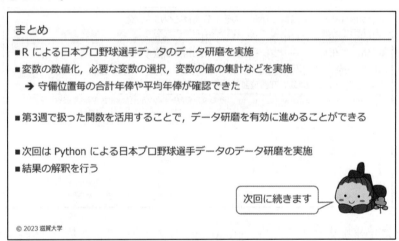

まとめ

■R による日本プロ野球選手データのデータ研磨を実施
■変数の数値化，必要な変数の選択，変数の値の集計などを実施
→ 守備位置毎の合計年俸や平均年俸が確認できた

■第3週で扱った関数を活用することで，データ研磨を有効に進めることができる

■次回は Python による日本プロ野球選手データのデータ研磨を実施
■結果の解釈を行う

次回に続きます

© 2023 滋賀大学

補足（第1回の分析の流れ）

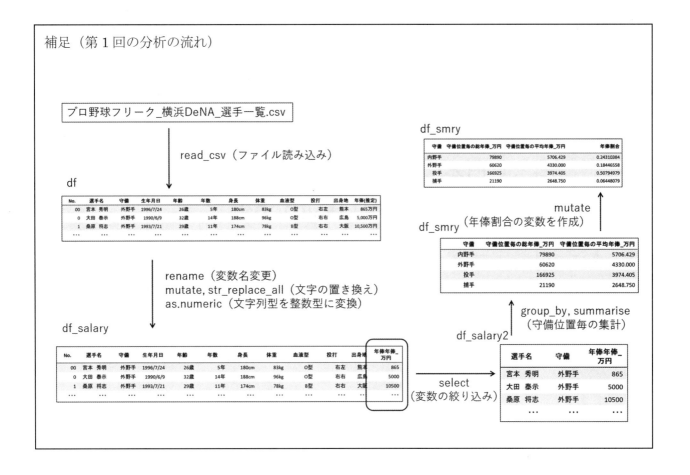

第 2 回　日本プロ野球選手データのデータ研磨（Python 編）

- 今回は Python で前回と同じプロ野球選手データのデータ研磨を行なっていきます。
- 基本的なデータ研磨の流れは前回と同じなのでぜひ復習してから受講してみてください。
- 今回の作業を内容を整理すると、行いたい操作は「プロ野球データ Freak 」から入手できる日本プロ野球の横浜 DeNA ベイスターズの選手一覧のデータから各ポジション毎の総年俸、平均年俸、年俸割合にまとめられたデータを作成することです。
- すなわち、必要な操作は主に「各ポジション毎に総年俸と平均年俸を求める」ということになります。

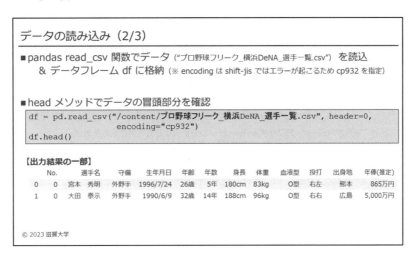

- まずは pandas モジュールをデータを扱うために、copy モジュールをデータフレームの複製を作成するためにそれぞれ import します。
- 特に pandas のデータフレームの複製の際に copy モジュールの copy 関数や deepcopy 関数を使わないと、コンピュータが複製元と複製先のデータフレームを同じものと認識してしまい、複製先の変更が複製元にまで反映されてしまいます。
- そこで今回は deepcopy 関数によってデータフレームの複製を行うこととします。

- pandas と copy モジュールの読み込みをした後にデータ "プロ野球フリーク_横浜 DeNA_選手一覧.csv" を pandas の read_csv 関数で読み込み、データフレーム df に格納します。
- encoding は shift-jis ではエラーが起こるため cp932 を指定します。
- ここからは実際に Python を手元で実行し、コードの実行結果などを確認しながら受講してください。
- head メソッドでデータの冒頭部分の確認をするとスライド下部のようなデータが表示されます。

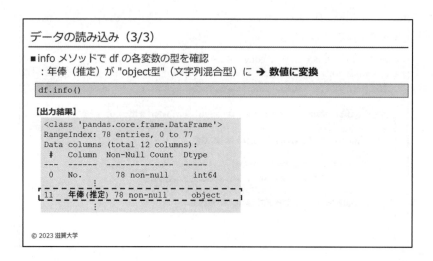

- info メソッドで df の各変数の型を確認すると、スライド下部の出力結果が表示されます。
- 変数 "年俸（推定）"が文字列混合型である "object 型" であることが分かります。
- 今回は各ポジション毎の総年俸や平均年俸を求める必要があるためこの値を数値に変換していくことにします。

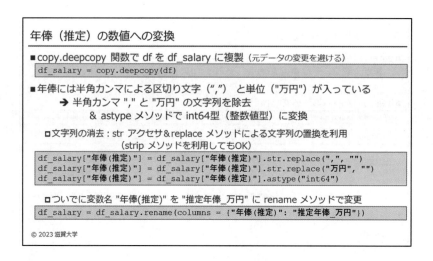

- copy モジュールの deepcopy 関数で df の複製 df_salaly を作成します。
- 年俸の値を数値に変換していくのですが、そもそも年俸の値が object 型と認識された原因は単位区切りの半角カンマと単位「万円」という文字列の存在です。そこで、これらの文字列を取り除き、整数値に対応する int64 型に変換することにします。
- 具体的には変数「年俸（推定）」に str アクセサを利用して「年俸（推定）」に格納されている値を文字列として扱えるようにした上でreplace メソッドを利用して半角カンマや「万円」という文字列を取り除きます。
- 「年俸（推定）」に astype メソッドを適用して int64 型に変換します。
- rename メソッドを利用して変数名を R 編と同じく「推定年俸_万円」に変更しておきましょう。

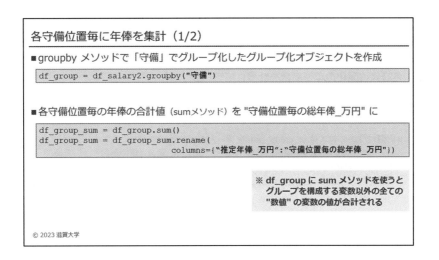

- 次にデータの見やすさや処理の高速化のために必要な変数だけに絞ることにします。
- 今回利用する情報は守備位置と年俸のみなので、これに各観測値を識別するための選手名を加えた変数だけにします。
- もちろん drop メソッドも利用可能です。
- その結果、このようなデータが DataFrame df_salary2 として作られます。

```
各守備位置毎に年俸を集計 (1/2)
■groupby メソッドで「守備」でグループ化したグループ化オブジェクトを作成

df_group = df_salary2.groupby("守備")

■各守備位置毎の年俸の合計値 (sumメソッド) を "守備位置毎の総年俸_万円" に

df_group_sum = df_group.sum()
df_group_sum = df_group_sum.rename(
                    columns={"推定年俸_万円":"守備位置毎の総年俸_万円"})

                          ※ df_group に sum メソッドを使うと
                            グループを構成する変数以外の全ての
                            "数値" の変数の値が合計される

© 2023 滋賀大学
```

- 次に各守備位置毎に年俸の額を集計していきます。
- groupby メソッドを利用して変数「守備」の値で DataFrame df_salary2 の観測値をグループ化したグループ化オブジェクト df_group を作ります。
- df_group に sum メソッドを適用して変数「守備」の値毎の合計値に集計した DataFrame df_group_sum を作成し、さらに rename メソッドを利用して変数名「推定年俸_万円」を「守備位置毎の総年俸_万円」に変換します。
- df_group に sum メソッドを適用すると数値の変数のみが合計されるため、選手名については都合よく無視され、結果的にこの処理だけで各守備位置毎の総年俸だけを取り出すことが可能です。

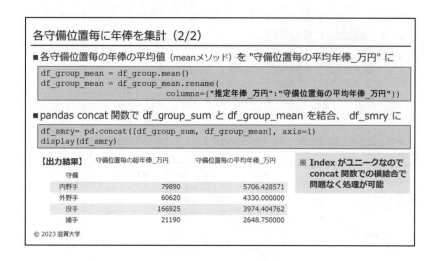

- 次に各守備位置毎の平均年俸を求めるために、変数「守備」の値でグループ化した df_group に mean メソッドを適用して変数「守備」の値毎の平均値に集計した df_group_mean を作成し、先ほどと同じく rename メソッドで今度は変数名「推定年俸_万円」を「守備位置毎の平均年俸_万円」に変換します。

- 総年俸が格納されている df_group_sum と平均年俸が格納されている df_group_mean を横方向で結合するために、index の値に重複がないことを確認した上で、pandas の concat 関数を引数 axis を 1 で実行し、横方向に結合し、それを DataFrame df_smry とします。

- するとこのように各守備位置毎の合計年俸と平均年俸が集計された表が出来上がります。

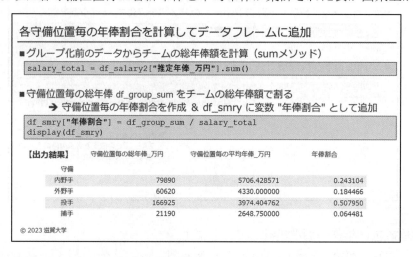

- チームの総年俸に占める年俸割合を追加しましょう。

- チームの総年俸額を求めるため df_salary2 の変数「推定年俸_万円」に sum メソッドを適用してその合計値を求め、その値を salary_total に格納します。

- 守備位置毎の総年俸を salary_total で割り、df_smry に変数「年俸割合」として追加します。

- ここでは df_group_sum を salary_total で割っていますが df_smry の変数「守備位置毎の総年俸_万円」を salary_total で割っても構いません。

- このように作成したかった守備位置毎の総年俸、平均年俸、年俸割合がまとめられたデータが完成しました。

考察

■ 総年俸は投手が**最も高く**（16億6925万円）**全体の50%を超える**

■ **平均年俸は内野手が最も高く**、平均年俸が最も低い捕手の2倍以上

■ **平均年俸で見ると投手はそこまで年俸が高いわけではないが**、
チームの所属選手の半数以上が投手のため、合計年俸の金額は多くなる

【出力結果】

守備	守備位置毎の総年俸_万円	守備位置毎の平均年俸_万円	年俸割合
内野手	79890	5706.428571	0.243104
外野手	60620	4330.000000	0.184466
投手	166925	3974.404762	0.507950
捕手	21190	2648.750000	0.064481

● 完成したデータから横浜 DeNA ベイスターズについて考察をしていきましょう。

● 合計年俸は投手が 16 億円を超えるなど最も高く、チームの総年俸の 50%以上が投手に割り当てられていることが分かります。しかし、平均年俸は内野手が捕手の約 2 倍の約 5700 万円となるなど最も高く、必ずしも投手を重視しているとは言えません。

● 平均年俸で見ると投手はそこまで年俸が高くなく、実はチームの所属選手の半数以上が投手のために守備位置毎の総年俸の金額は高くなっているということが分かりました。

まとめ

■ 第1回と第2回では日本プロ野球の選手データのデータ研磨を実施（今回はPython）

■ データ研磨によって各ポジション毎の合計年俸や平均年俸を確認
　　➔ 各ポジションへの予算配分や各ポジションの選手の年俸規模が分かった

■ このように、**データ研磨は**
　　「実際に研磨したデータをどのようなデータ分析に利用するのか」
　　を考えながら行うことが重要

■ また、R でも Python でもデータ研磨の大きな方針は同じになる

■ 次回からはゲーム販売台数データのデータ研磨を扱う

次回に
続きます

講義の解説

補足（第2回の分析の流れ）

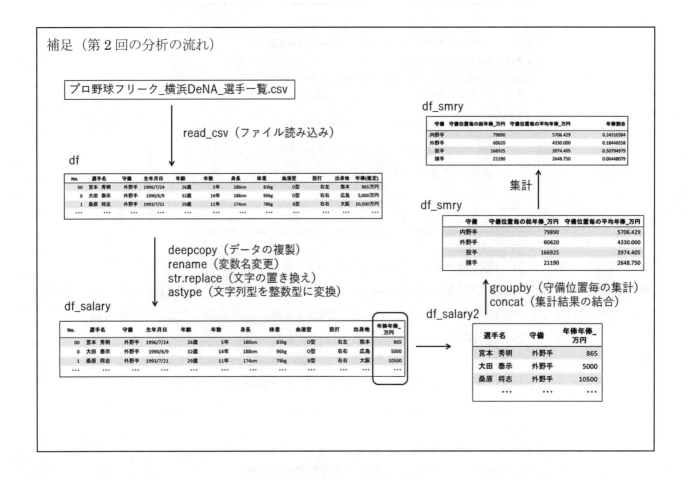

第3回　ゲームハード販売台数のデータ研磨（Python 編）

- 今回は「ゲーム売り上げ定点観測」で取得できる「歴代ハード売り上げランキング」のデータを Python で研磨します。
- メーカー毎や、プレイステーションシリーズでの売り上げランキングを作成し、これまでにどのようなゲーム "ハード"が売れ、また、数多くあるプレイステーションシリーズの中でどのようなものが売れたのかを確認していきたいと思います。

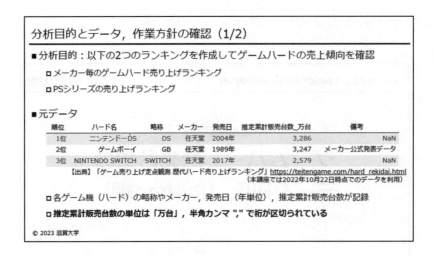

- 分析目的はメーカー毎のゲームハード売り上げとプレイステーションシリーズの売り上げランキングを作成し、ゲームハードの売り上げの傾向を確認することです。

- ランキングデータの作成には「ゲーム売り上げ定点観測」のホームページ（https://teitengame.com/head_rekidai.html）から取得できる「歴代ハード売り上げランキング」のデータを利用します。このデータには順位、ハード名、略称、メーカー名、販売日、推定累計販売台数、備考が記録されています。

- このデータの中で重要なのは推定累計販売台数の値ですが、その単位は万台になっており、さらに半角カンマによる3桁ごとの区切り文字が入っています。

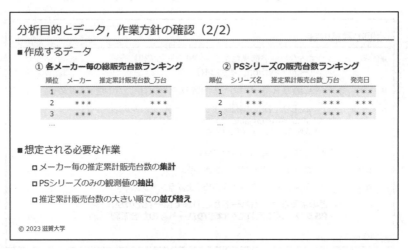

- このデータから作成したいのがスライド内の各メーカーの販売台数ランキングとプレイステーションの販売台数ランキングです。

- 必要な操作としてはメーカー毎の推定累計販売台数の集計と全てのゲームハードの中からプレイステーションシリーズのみの抽出、そして、推定累計販売台数の大きい順に並び替えるというものになります。

- 当然これまでと同じく推定累計販売台数の値を数値に変換することも必要になることが想定されます。

- ここからは実際にその作業を進めていきますが、実際に Python を手元で実行し、コードの実行結果などを確認しながら受講してください。

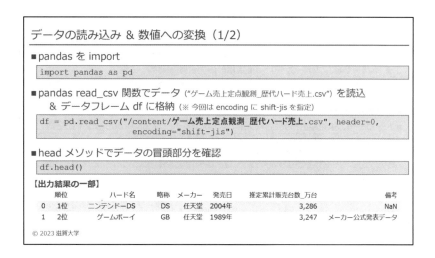

- まずは pandas を import し、その上で pandas の read_csv 関数でデータを読み込んだ上でデータフレーム df にデータを格納します。
- 今回は encoding は "shift-jis" に指定していますが、当然「shift-jis に機種依存文字を追加した "cp932"」でも構いません。
- df に head メソッドを適用することでデータの冒頭部分を確認するとスライド下部のような出力が得られます。

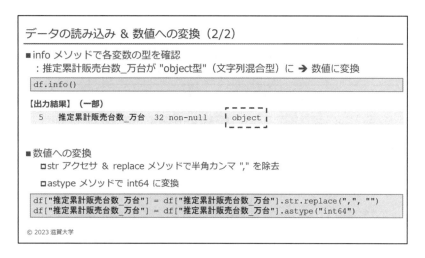

- 次に info メソッドを使って読み込んだデータの情報を確認します。
- 推定累計販売台数が object 型になっており、やはり数値に変換する必要があることが分かります。
- 第２回と同様に str アクセサで変数「推定累計販売台数_万台」に格納されている値を文字列として扱えるようにした上で replace メソッドを利用して半角カンマ取り除き、そして astype メソッドで整数値の int64 型に変換します。
- これでデータの集計ができる形になったので、ここからはメーカー販売台数のランキングとプレイステーションシリーズの販売台数ランキングを別々に作成していきます。

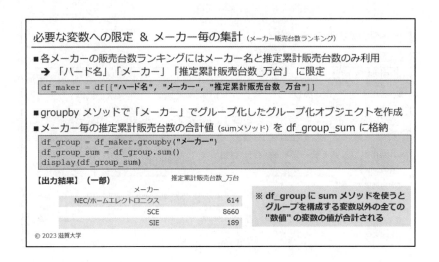

- ここからはメーカー毎の販売台数ランキングの作成です。
- メーカー毎の販売台数ランキングの作成に必要な「メーカー」、「推定累計販売台数_万台」、各観測値の識別のための「ハード名」のみに変数を限定し、それを df_maker に格納します。
- メーカー毎に「推定累計販売台数_万台」の値の集計をするために、groupby メソッドを使って変数「メーカー」の値で df_maker の観測値をグループ化した df_group を作ります。
- df_group に sum メソッドを適用して「メーカー」毎に推定累計販売台数合計値に集計した df_group_sum を作成します。
- これによってメーカー毎の推定累計販売台数を集計したデータを作成することができました。

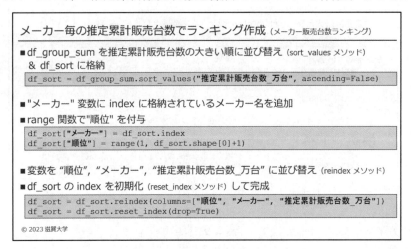

- 続いて推定累計販売台数の大きい順に並び替えた上で順位をつけます。
- 並び替えには sort_values メソッドを、1つ目の引数に並び替えに利用する変数名「推定累計販売台数_万台」を、引数 ascending に大きい順、すなわち降順への並び替えのために False をそれぞれ指定した上で実行し、その結果を df_sort に格納します。
- df_sort の index の値を改めて変数「メーカー」として追加します。
- 順位は range 関数で 1 から df_sort の行数までの連続する自然数の値を作って付与します。
- range 関数は range(a, b) で「a 以上 b 未満」の連続する自然数を作るので、ここでは2つめの引数に df_sort の行数 +1 の値を指定しています。
- 最後に成形のために reindex メソッドによって変数を並び替え、さらに index にメーカー名が残っているので reset_index メソッドでそれを初期化して完成となります。

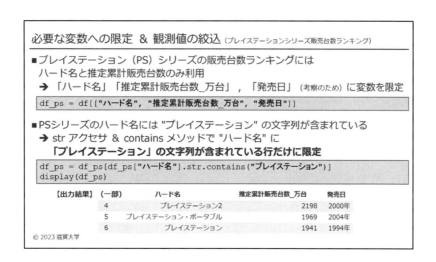

- 完成したメーカー毎の販売台数ランキングがスライドの表です。
- 2位の SCE (Sony Computer Entertainment) と 8位の SIE (Sony Interactive Entertainment) は実は同じ企業なので本来は合算すべきだったりするのですが、今回はこれで完成とします。

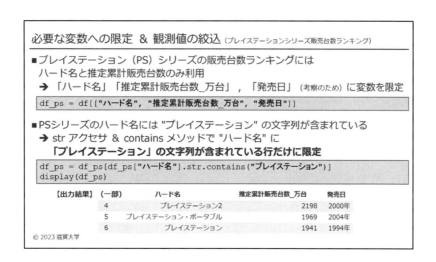

- ここからはプレイステーションシリーズの販売台数ランキングを作成します。
- プレイステーションシリーズの販売台数ランキングの作成に必要な「ハード名」、「推定累計販売台数_万台」、そして後で考察するのに必要になることを想定して「発売日」のみにデータフレーム内の変数を限定し、それを df_ps に格納します。
- プレイステーションシリーズのみをここから抽出していきます。
- プレイステーションシリーズのハード名には "プレイステーション" の文字列が含まれます。
- 変数「ハード名」に str アクセサを適用して文字列にアクセスできる状態にし、contains メソッドで変数「ハード名」に "プレイステーション" の9文字が含まれているか否かを True か False で判定させ、その結果を使って df_ps の行を限定します。
- これでプレイステーションシリーズのみについてハード名、推定累計販売台数、そして発売日が並んだデータを作ることができました。

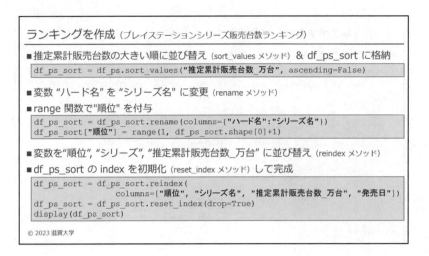

- 残りの作業はメーカー毎の販売台数ランキングの作成と同じです。
- sort_values メソッドを使って推定累計販売台数の大きい順に並び替え、range 関数を使って順位を与え、さらに reindex メソッドで変数を並び替えた上で reset_index メソッドで index を初期化すれば完成となります。
- ただし、今回はプレイステーション "シリーズ" の中での販売台数のランキングを作成しているので、変数名「ハード名」を rename メソッドで「シリーズ名」に変更しました。

PSシリーズの推定累計販売台数のランキング

■ 完成したPSシリーズの販売台数ランキング

順位	シリーズ名	推定累計販売台数_万台	発売日
1	プレイステーション2	2198	2000年
2	プレイステーション・ポータブル	1969	2004年
3	プレイステーション	1941	1994年
4	プレイステーション3	1027	2006年
5	プレイステーション4	939	2014年
6	プレイステーション Vita	586	2011年
7	プレイステーション5	189	2020年

© 2023 滋賀大学

- これで完成したプレイステーションシリーズの販売台数ランキングがスライド内の表です。
- この時点で全体的に古いシリーズの方が販売台数が多かったことが分かりますが、考察については第4回で行います。

まとめ

■Python によるゲームハード販売台数データのデータ研磨を実施

■今回はランキング形式のデータを作成するために，
　降順での並び替えや順位の付与を行ったのが特徴的な操作

■前回・前々回と同じく，第3週で扱った内容を活用することで，
　データ研磨を有効に進めることができる

■次回は R によるゲーム販売台数データのデータ研磨を実施

■結果の解釈を行う

次回に
続きます

補足（第3回の分析の流れ）

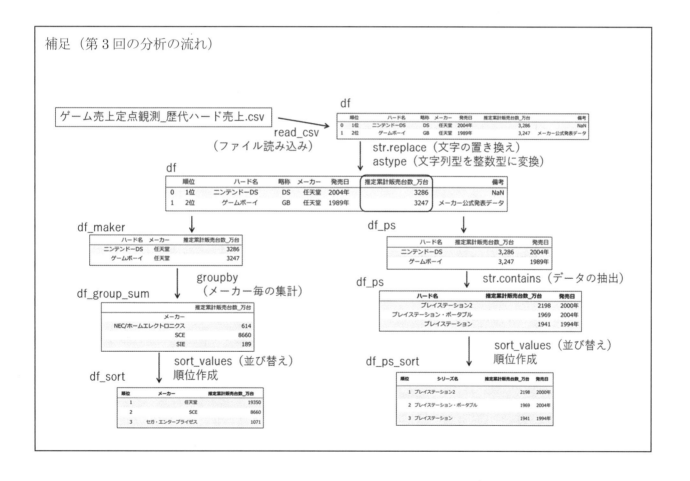

第4回　ゲームハード販売台数のデータ研磨（R編）

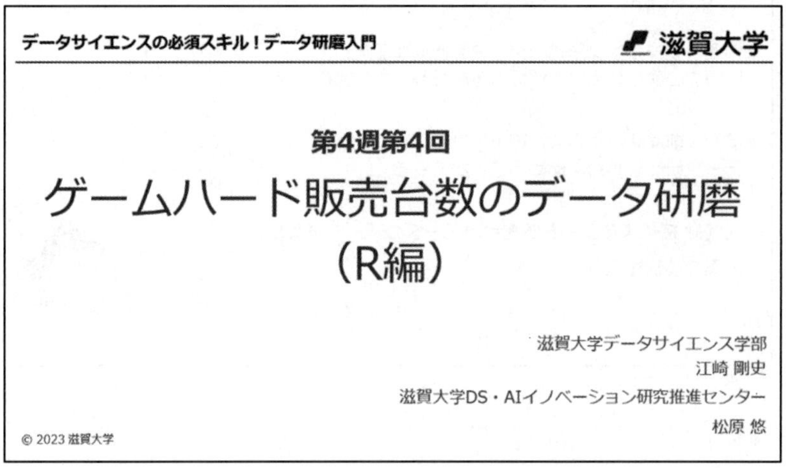

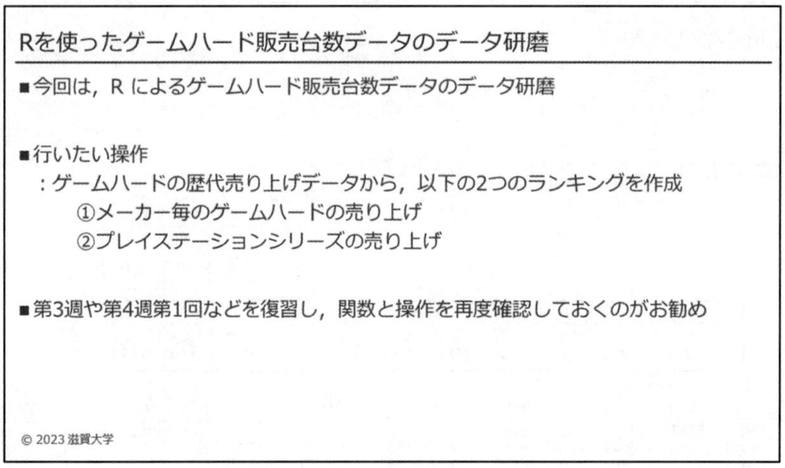

Rを使ったゲームハード販売台数データのデータ研磨

■今回は，R によるゲームハード販売台数データのデータ研磨

■行いたい操作
　：ゲームハードの歴代売り上げデータから，以下の2つのランキングを作成
　　　①メーカー毎のゲームハードの売り上げ
　　　②プレイステーションシリーズの売り上げ

■第3週や第4週第1回などを復習し，関数と操作を再度確認しておくのがお勧め

- 今回は、 R を使ってゲームハード販売台数データのデータ研磨を行います。
- 使用するデータは、前回取得した、「ゲーム売上定点観測_歴代ハード売上」のデータです。
- ゲームハードの歴代売り上げデータから、「メーカー毎のゲームハードの売り上げランキング」と「プレイステーションシリーズの売り上げランキング」のデータ作成を目指します。

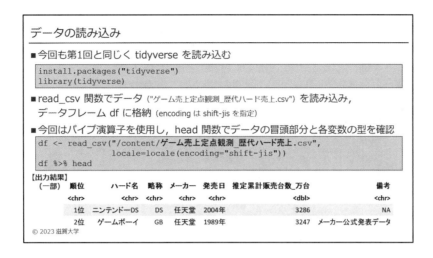

- tidyverse を install し、library で読み込みます。
- 次に、 read_csv 関数を使ってデータを読み込み、データフレーム df に格納します。この時、encoding は shift-jis を指定します。
- パイプ演算子は、処理の流れに合わせてコードを記述する演算子です。
- パイプ演算子を使って head 関数を実行し、データフレーム df の冒頭部分と各変数の型を確認すると、順位、ハード名、略称などの変数と、それらの観測値を確認することができました。
- 「推定累計販売台数_万台」は既に数値である double 型となっています。

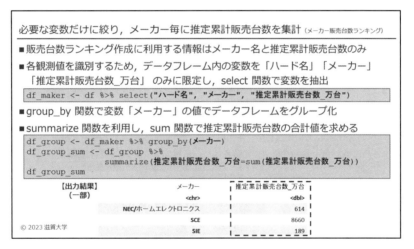

- 販売台数ランキングの作成に利用する情報は、メーカー名と推定累計販売台数のみだったため、これらに絞ったデータフレームを作成します。
- データフレーム内の変数を、「ハード名」、「メーカー」、「推定累計販売台数_万台」のみに限定するため、select 関数を使って変数を抽出したデータフレームを、新しく df_maker とします。
- 変数を抽出したデータフレームを、「メーカー」の値でグループ化し、summarize 関数の中で、sum 関数を使用し、推定累計販売台数の合計値を求めます。
- その結果を、df_group_sum というデータフレームに格納します。
- 「メーカー」と「推定累計販売台数_万台」だけのデータフレームができたことを確認できました。

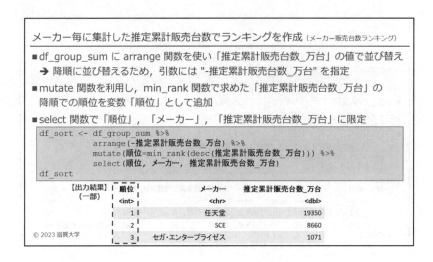

- 作成したデータフレームからランキングを作成するため、推定累計販売台数の値で並び替えを行うことにします。
- 降順に並び替えるために、マイナスをつけた「推定累計販売台数_万台」を引数とします。
- mutate 関数を使い、 min_rank 関数で求めた累計販売台数の「順位」を追加します。
- 最後に、select 関数を使い、「順位」、「メーカー」、「推定累計販売台数_万台」の順でデータフレームを作成します。
- これら一連の処理をパイプ演算子を使って、順番に記述して結果を df_sort に格納します。
- 「順位」と「メーカー」と「推定累計販売台数_万台」が変数となった表を作成できました。

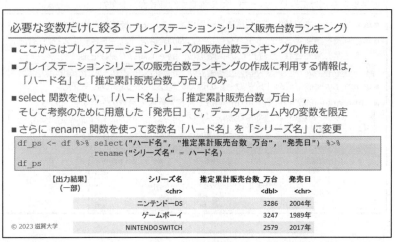

- プレイステーションシリーズの販売台数のランキングを作成する処理に入ります。
- 利用する情報は、「ハード名」と「推定累計販売台数_万台」の情報のみですので、select 関数を使って、df からこれら 2 つの変数を取り出します。
- 最後に考察を行うため、「発売日」の情報も変数として加えておきます。
- rename 関数を使い、「ハード名」という変数の名前を、「シリーズ」に変更します。
- これらの処理をパイプ演算子を使って行い、 df_ps というデータフレームに格納します。
- df_ps の冒頭部分と変数の型を確認すると、「シリーズ名」と「発売日」が文字列型で、「推定累計販売台数_万台」が数値型で入力されていることが確認できました。

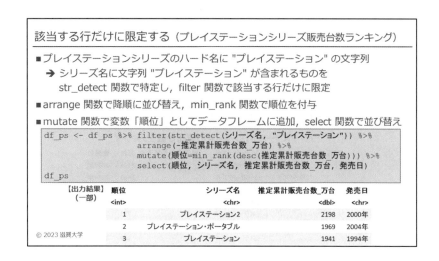

- 今作成したいランキングは、プレイステーションシリーズに関するものでした。
- str_detect 関数を使い、「シリーズ名」にプレイステーションが含まれる行を特定し、filter 関数で該当する行だけに限定します。
- arrange 関数で降順に並び替え、min_rank 関数で順位を付与します。
- mutate 関数で変数「順位」としてデータフレームに追加し、select 関数で、「順位」、「シリーズ名」、「推定累計販売台数_万台」、「発売日」の順に並び替えます。
- これらの一連の処理をパイプ演算子で行い、データフレーム df_ps に格納します。
- df_ps を実行すると、プレイステーションという言葉が含まれたデータで、推定累計販売台数が多い順に並び替えされたランキングを作成できたことが確認できます。

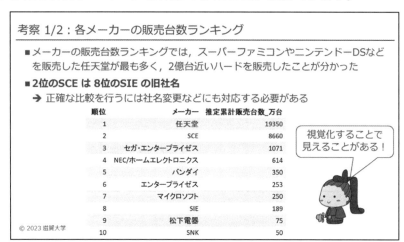

- 作成したメーカーの販売台数のランキングによると、スーパーファミコンやニンテンドーDS を販売した任天堂の推定累計販売台数が最も多いことが分かります。
- 2 位の SCE はソニー・コンピュータ・エンタテインメント、8 位の SIE はソニー・インタラクティブ・エンタテインメントという会社であり、SCE は SIE の旧社名です。
- 正確な比較を行うためには、社名変更などにも対応する必要があると考えられます。

考察 2/2：プレイステーションシリーズの販売台数ランキング

■プレイステーションシリーズの販売台数ランキングでは，2000年発売のプレイステーション2と2004年発売のプレイステーション・ポータブル，1994年発売のプレイステーションが上位3位を占めている
■近年発売のプレイステーションシリーズは販売台数が伸びていないことが分かる
➔ 次の分析に繋がる "気付き" を得ることができた！

プレイステーションシリーズの販売台数ランキング

順位	シリーズ名	推定累計販売台数_万台	発売日
1	プレイステーション2	2198	2000年
2	プレイステーション・ポータブル	1969	2004年
3	プレイステーション	1941	1994年
4	プレイステーション3	1027	2006年
5	プレイステーション4	939	2014年
6	プレイステーション Vita	586	2011年
7	プレイステーション5	189	2020年

© 2023 滋賀大学

- プレイステーションシリーズの販売台数ランキングを見てみると、2000 年発売のプレイステーション 2 と 2004 年発売のプレイステーション・ポータブル、1994 年発売のプレイステーションが上位 3 位を占めています。
- プレイステーション独自の戦略を設定している可能性もありますが、これを確認するためには、他の情報を確認することも必要かもしれません。
- ドメイン知識がなかったとしても、研磨したデータを眺めることで、気付きに繋がる可能性もあります。

まとめ

■第4週ではプロ野球選手データとゲーム販売台数データに対して，実際に R と Python でデータ研磨を行った
■データ研磨で主に使う関数やメソッド・機能などは第3週で扱ったものが中心になる
■一方でそれらを使って「どのようなデータ」から「どのような情報を獲得する＝どのようなデータ分析を行う」ために「どのようなデータを作成するか」を事前に検討しながら作業を行うことが大切
■データ研磨は「データ分析ができる形にデータを処理するもの」

これで第4週は終わりです

© 2023 滋賀大学

補足（第４回の分析の流れ）

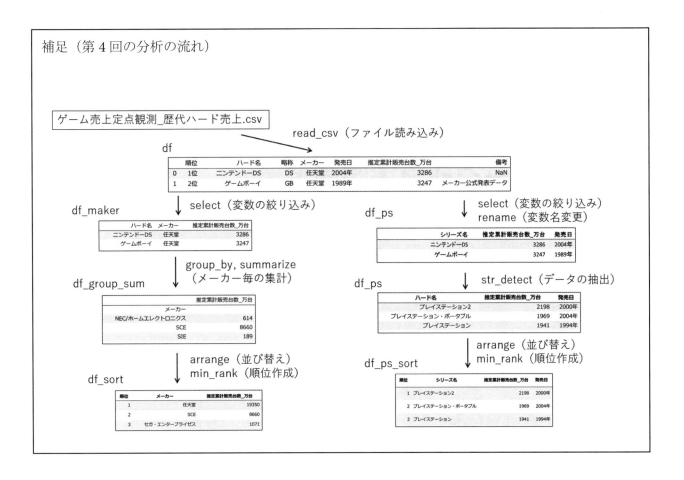

第5週：データ研磨実践演習

　5週目ではデータ研磨スキルの総復習という位置づけで、住民基本台帳に基づく人口データを題材に、データ研磨のプロセスの設計や、データ研磨後のチェックなどを含めた一連の流れを実践的に学んでいく。各回の内容とその目標を以下に示す。

	内容	到達目標
第1回	データ研磨を通じて実現したいこと	データ研磨を行う前に、目的を明確にすることの重要さを理解する。
第2回	データ研磨手順の構築	データ研磨の全体像を描く際に重要となるポイントを理解する。
第3回	データ研磨工程①	研磨プロセスの各手順において必要となるスキルを理解し、実践できている。
第4回	データ研磨工程②	研磨プロセスの各手順において必要となるスキルを理解し、実践できている。
第5回	データ研磨工程③	研磨プロセスの各手順において必要となるスキルを理解し、実践できている。
第6回	データの可視化	研磨したデータを用いて、簡単な可視化ができる。
第7回	データ研磨後にやるべきこと	データ研磨以外の、情報の記録やデータのチェックなどの重要性を理解する。
第8回	エピローグ：社会で活躍できるデータサイエンティストへ	データサイエンスを実社会で活用するために必要な要素を理解する。

第１回　データ研磨実践演習　データ研磨を通じて実現したいこと

- 第 5 週では、これまでに学んできたデータリテラシーやデータ研磨のスキルを複合的に扱っていきます。
- 題材となるデータは、「住民基本台帳に基づく人口、人口動態及び世帯数」です。
- 第 1 回では、データの特徴をよく理解し、どのようなことができそうなのかを考えた上で、データの研磨を通じてどのようなことを実現したいのか考えてみましょう。

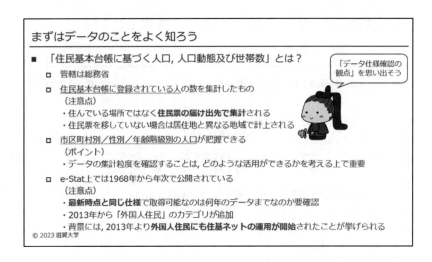

- まずは、これから扱う「住民基本台帳に基づく人口データ」がどのようなデータなのかをしっかりと理解していきましょう。
- 管轄の省庁は総務省で、住民基本台帳に登録されている住民の数を集計したデータで、住民票の届け出先の地域の情報として集計されます。
- データの集計単位は市区町村別／性別／年齢階級別に細分化されており、e-Stat 上では 1968 年以降の年次データが公開されています。

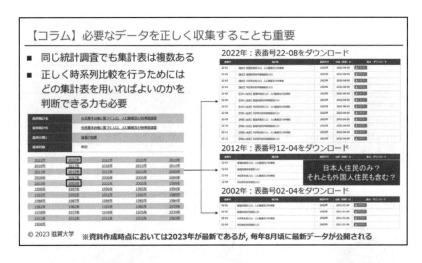

- 今回の演習では 2002 年、2012 年、2022 年の 3 時点での人口情報を扱いますが、e-Stat 上で各年をクリックしてデータを取得しようとすると、データの時点によって公表されている情報の粒度が異なっていることがわかります。
- 時系列として正しい比較を可能とするためにどの集計表を取得すれば良いのかを考える上では、データの仕様の理解が欠かせません。
- データの仕様の理解が正しいデータの集計や分析につながっていることを理解しましょう。

データの特徴を踏まえて何ができるかを考えよう

- **時系列比較**
  - 1968年〜最新年まで年次のデータが取得可能
    ※2012年以前は日本人住民のみが集計対象
- **地域間比較**
  - 都道府県間の比較
  - 市区町村間の比較
- **性別による違い**
  - 男性／女性の比較
- **計算できるもの**
  - 年少人口：15歳未満の人口
  - 生産年齢人口：15歳〜64歳の人口
  - 老年人口：65歳以上の人口
  - それらの人口に占める割合

© 2023 滋賀大学

2002年 ⟷ 2012年 ⟷ 2022年

滋賀県　⟷　秋田県

- 先ほど確認したデータの特徴を踏まえて、このデータからどのようなことができるのかを考えてみましょう。
- 例えば、時系列での比較や、地域間比較、性別や年齢による違いを見ることができそうです。
- 年齢に関しては、5歳階級別に人口が公表されているため、それらを合算することによって「年少人口」「生産年齢人口」「老年人口」といった新たな区分を作成することもできそうです。

前処理の後に何をしたいか考えよう

- **テーマ①：10年前, 20年前と比較して生産年齢人口割合に変化はあるだろうか？**

- **テーマ②：生産年齢人口の割合に地域差はあるのだろうか？**

© 2023 滋賀大学

- データの特徴を踏まえ、データ研磨を通じて何をしたいのかを考えてみましょう。
- 5歳階級のデータから生産年齢人口を計算できますし、時系列でデータを使用することができるので、10年前、20年前と比較して、生産年齢人口の割合に変化があるかどうかを見てみましょう。
- また、生産年齢人口の割合に地域差は見られるのか確認してみましょう。

仮説を立ててみよう

- **テーマ①：10年前, 20年前と比較して生産年齢人口割合に変化はあるだろうか？**

  日本は高齢化が深刻だと聞くけれど…
  高齢化が進んでいるということは, 老年人口が占める割合が増えていて
  生産年齢人口割合は低下しているのでは…？

- **テーマ②：生産年齢人口の割合に地域差はあるのだろうか？**

  高齢化は日本全体で起きていることだけど
  例えば都市部と地方では生産年齢人口に違いはあるのだろうか？
  地方の方が高齢化は深刻そう…ということは？

- 次は、期待される結果について考えたり、仮説を立ててみましょう。目の前のデータをやみくもに触れるのではなく、目的と仮説をしっかりと持つことが重要です。
- テーマ①に関しては、日本において高齢化がかなり進んでいる状況から考えると、生産年齢人口の割合は低下しているのではないかという仮説を立てることができます。
- テーマ②に関しては、地方の方が高齢化が深刻化であることから生産年齢人口の割合も低くなるのではないかと考えることができそうです。

まとめ

- 第5週では,「住民基本台帳に基づく人口, 人口動態及び世帯数」を題材に前処理を実践的に学ぶ
- 実践演習ではこれまでに学んだデータリテラシー・データ研磨スキルの組み合わせ
- データの前処理に入る前に, 以下の3つを心掛けよう
  1. 前処理の対象となる**データのことを良く知ろう**
  2. そのデータを使って**何ができるのか**を考えよう
  3. データの前処理の後, どんなことにそのデータを使いたいのか考えよう
- 目的を設定しないままデータの前処理に入るのはNG！
- どんな結果が得られそうか, 想像してみよう

次回に続きます

第2回　データ研磨実践演習　データ研磨手順の構築

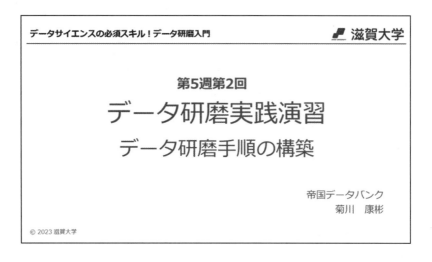

- 第 5 週では、これまでに学んできたデータリテラシーやデータ研磨のスキルを複合的に扱っていきます。
- 題材となるデータは、「住民基本台帳に基づく人口、人口動態及び世帯数」です。
- 第 5 週第 2 回では、実際にデータの研磨を開始する前に、どんな手順でデータを研磨していくのか、その全体像を描く練習をしていきましょう。

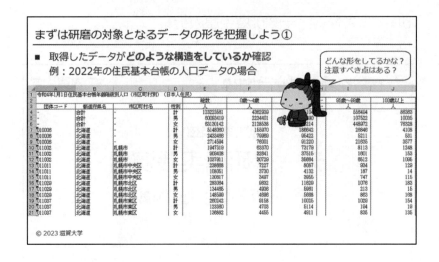

- まずは、データの「中身」をしっかりと確認し、これからどのような前処理の手順を踏まなければならないかを考えていきましょう。

- この画像は、Excel 形式で公開されている 2022 年の住民基本台帳の人口データを、Excel 上で開いたときの、データ構造を表すものです。

- これを見て、どんな特徴があるか、前処理を行うにあたってどんな点に注意が必要か、考えてみましょう。

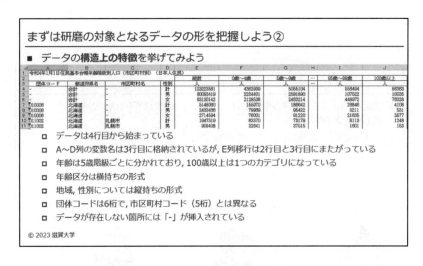

- データの構造上の特徴として、以下のことがわかります。

- データが 4 行目から始まっていること。

- 変数名として読み込ませたい情報が示されている行が、カラムによって異なること。

- 原則、年齢は 5 歳ごとに区切られているが最上位の階層は 100 歳以上として丸められていること。

- 年齢区分は横方向に、地域と性別に関しては縦方向に展開されていること。

- 地域を表す情報は、5 桁の市区町村コードではなく 6 桁の団体コードであること。

- データが存在しない箇所には半角のハイフンが挿入されていること。

次に，最終的なデータの構造をイメージしよう

■ どんな形式であれば使いやすい？

□ 生産年齢人口，総人口の情報は横持ち

□ 時点を表す集計年，地域を表す市区町村情報は縦持ち
（理由）
横持ちの場合，分析したい時点や地域が追加になったとき
カラムが増えデータの構造が変わり，**汎用性に欠ける**ため

時系列比較・地域間比較
ができる形にしたいな

集計年	都道府県コード	都道府県名	市区町村コード	市区町村名	生産年齢人口	総人口	生産年齢人口割合
2002	01	北海道	01100	札幌市	…	…	…
2002	01	北海道	01101	札幌市中央区	…	…	…
2002	01	北海道	01102	札幌市北区	…	…	…
2002	01	北海道	01103	札幌市東区	…	…	…
2002	01	北海道	01104	札幌市白石区	…	…	…

© 2023 滋賀大学

- 次は、「最終的にどんな形のデータであれば使いやすいか」という観点でデータの構造を考えてみましょう。
- 時点や地域の数によってデータの構造が左右されないよう、汎用性のある構造が望ましいです。
- 生産年齢人口や総人口などの人口情報は、横持ちの方が計算に適しています。
- 時点や地域の情報に関しては、縦持ちが適しています。

研磨が必要なところを洗い出そう

■ 元のデータと最終的なデータを比較して，**どんな研磨工程が必要か**
考えてみよう

□ 2002年／2012年／2022年の**3つのファイル**を統合する

□ 元データには時点情報が含まれていないため，集計年という
カラムを作成し，**時点情報を格納**する

□ 5歳階級別の人口を合算して，**生産年齢人口を算出**する

□ 市区町村の統廃合を考慮して，**最新の市区町村に変換**する

□ 最新の市区町村を新たな集計単位として**人口を再集計**する

□ 総人口に占める**生産年齢人口の割合を計算**する

最初と最後の形を比較し
どんな処理が必要なのか
考えてみよう！

© 2023 滋賀大学

- 次に着目すべき点は、最初のデータと最終的なデータの構造の差分です。その差分から、どんな前処理が必要となるかという視点で、研磨工程を考えてみましょう。
- 時点ごとに異なる 3 つのファイルを 1 つに統合する必要があります。
- 時点情報は元データには含まれないため、自分で用意する必要があります。
- 5 歳階級別の人口から、生産年齢人口を算出する必要があります。
- 市区町村の統廃合を考慮して、最新の市区町村としてデータを扱う必要があります。
- 総人口に占める生産年齢人口の割合を計算する必要があります。

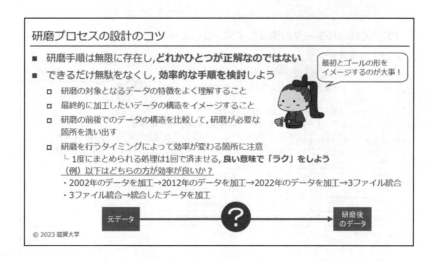

- データ研磨のプロセスはどれかひとつだけが正解なのではありませんが、慣れてきたら、できるだけ無駄をなくし、より効率的な手順に改善できないかという視点を持ちましょう。
- 研磨プロセスの設計のコツは主に次の 3 つに整理することができます。
- 対象のデータをよく理解すること。
- 最終的なデータ構造をイメージすること。
- 元データと最終的なデータの構造を比較して、どんな研磨工程が必要なのかを考えること。

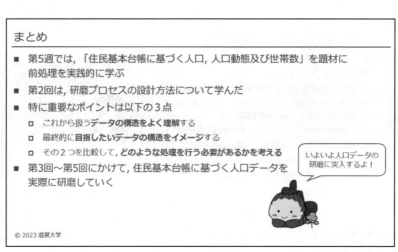

第 3 回　データ研磨実践演習　データ研磨工程①

データサイエンスの必須スキル！データ研磨入門　　滋賀大学

第5週第3回
データ研磨実践演習
データ研磨工程①

帝国データバンク
菊川　康彬

© 2023 滋賀大学

イントロダクション

- 第5週では，「住民基本台帳に基づく人口, 人口動態及び世帯数」を題材に前処理を実践的に学ぶ
- これまでに学んだ知識・スキルが必要となるため, 以下の復習を推奨
  - 第2週：データリテラシー
  - 第3週：データ研磨スキル
- 第3回では, 実際のデータをもとに, **前処理の手順を解説していく**
- まずは, データの読み込みから始めていく

これまでに習ったことの総復習！
腕試しのつもりで頑張ろう！

© 2023 滋賀大学

- 第 5 週では、これまでに学んできたデータリテラシーやデータ研磨のスキルを複合的に扱っていきます。
- 題材となるデータは、「住民基本台帳に基づく人口、人口動態及び世帯数」です。
- 今回からは実際のデータ研磨に入っていきます。
- まずは、人口データの csv ファイルを読み込むところから始めていきます。

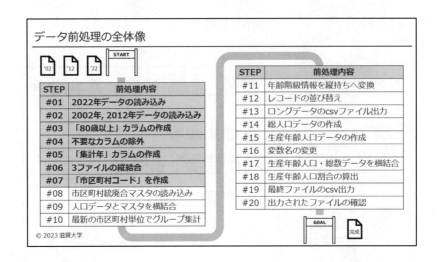

- これは、第3回～第5回にかけて研磨を行っていく、人口データの研磨プロセスの全体像です。
- 元データの読み込みからはじまり、最終的に作りたいファイルを出力するまでの全工程を20個の手順に分けて説明していきます。
- 全体の研磨手順のイメージがなかなか頭の中で思い描けないうちは、時々この全体像に立ち戻って、今どの部分の前処理を行っているのかを確認していきましょう。

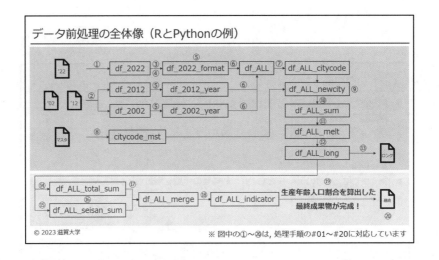

- データ研磨によって生成されるデータ間の関係性を、処理の流れに沿って整理した図です。
- この図の中に登場する①～⑳は、前のページで示した20個のSTEPの番号と対応しています。
- 以降の資料の見出しには「#」がついていますが、この図における手順の番号を表しています。

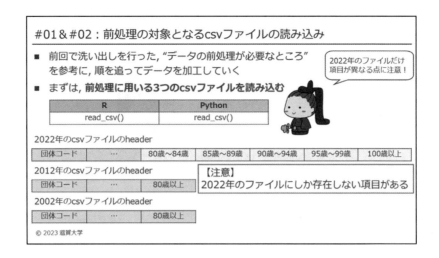

- 以降は、研磨の手順ごとにポイントを解説していきます。
- 処理の前後でデータの構造がどのように変わるかという点に重点を置いて解説していきます。
- 処理を実行したら、意図した結果が得られたかどうかをその都度確認する習慣をつけましょう。
- csv ファイルの読み込みには、R でも Pyhon でも read_csv を使用します。
- データの特徴に合わせて適宜オプションを設定しましょう。
- 2022 年のデータだけ、データの項目が異なる点に注意して読み込みましょう。

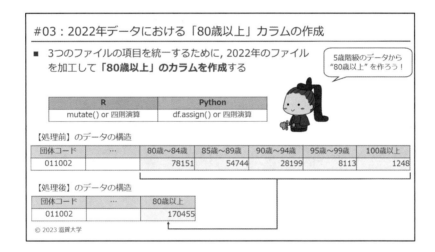

- 手順 3 では、5 歳ごとに分かれている人口情報を足し上げることによって、新たに「80 歳以上」という項目を作成してみましょう。
- これは、2022 年のデータを 2002 年、2012 年の形式に揃えるために行います。

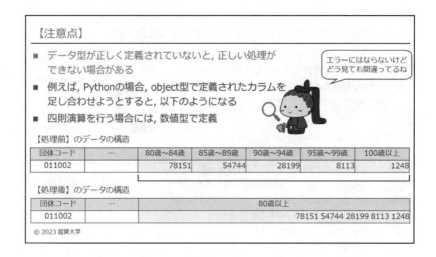

- 人口の項目を合算するためには、人口の項目は数値として定義されていなければなりません。
- Python で object 型で定義されたカラムを足し合わせようとすると、エラーにはなりませんが、単に文字列として横につながっただけの意味のないデータが生成されてしまいます。
- このようなケースにも気づくことができるように、改めて、自分が意図した結果が得られたかどうかをその都度確認する習慣をつけましょう。

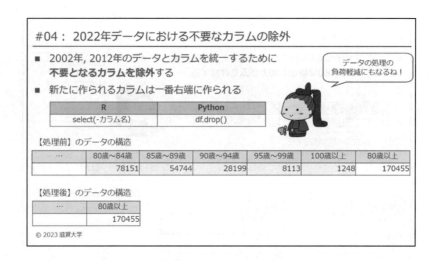

- 手順 4 では、不要なカラムの除外を扱います。
- 「80 歳以上」の項目を作成するために使用した 5 つの項目（「80〜84 歳」、「85〜89 歳」、「90〜94 歳」、「95〜99 歳」、「100 歳以上」）は、2002 年、2012 年のデータには登場しないカラムなので、不要なカラムは削除しておきましょう。
- 後になって使う可能性がある項目であれば保持しておく必要がありますが、使う予定がない項目は早い段階で削除しておいた方が、データの容量削減や処理速度の向上にもつながります。

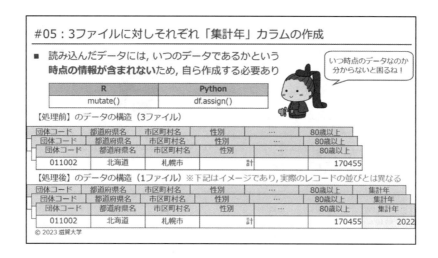

- 手順 5 では、ここまで読み込んだ各ファイルに対して「集計年」のカラムを作成します。
- 元のデータには、何年のデータであるかを表す項目が存在しないので、その状態で 2002 年、2012 年、2022 年の 3 つのファイルを統合すると、各レコードがどの時点のデータなのかが判別できなくなってしまいます。
- R では mutate()、Python では assign()を使って対応しましょう。

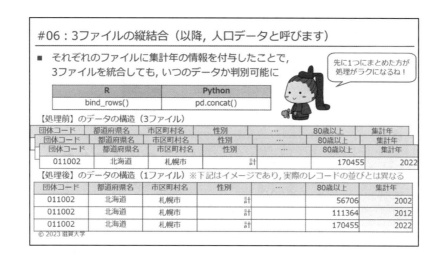

- 手順 6 では、「集計年」のカラムを作成した 2002 年、2012 年、2022 年の 3 つのファイルを縦方向に結合します。
- R では bind_rows()、Python では concat()を使って縦結合を行いましょう。
- ファイルごとに生産年齢人口の割合まで計算してから、その後にファイルを結合するよりも、データの構造が同じであれば先に 1 つにまとめてしまった方が処理が少なく済みます。
- データ研磨の処理手順の正解は 1 つではありませんが、効率的な処理を意識しましょう。

- e-Stat からダウンロードした直後の住民基本台帳のデータでは、2002 年と 2012 年のデータには数値を 3 桁ごとに区切るカンマが含まれており、2022 年のデータにはカンマがありません。
- カンマが含まれていると、データを数値として読み込むことができず、文字列として認識されるため、四則演算の際に邪魔になってしまいます。
- 数値項目に対して単位の情報が含まれているケースなどにも対応可能ですが、R では gsub()、Python では str.replace()を使いましょう。

- 手順 7 では、市区町村の統廃合情報をデータに反映するために、団体コードから市区町村コードを作成します。
- 通常、都道府県コードは 2 桁、市区町村コードは 5 桁で管理されているコードですが、住民基本台帳のデータでは 6 桁の団体コードと呼ばれるコードが使用されています。
- 団体コードは、先頭の 5 桁が市区町村コードに相当し、末尾の 1 桁がチェックデジットとなっています。つまり、6 桁の団体コードから先頭の 5 桁を抽出すれば市区町村コードとなります。
- R では str_sub()、Python では str[:]を使います。

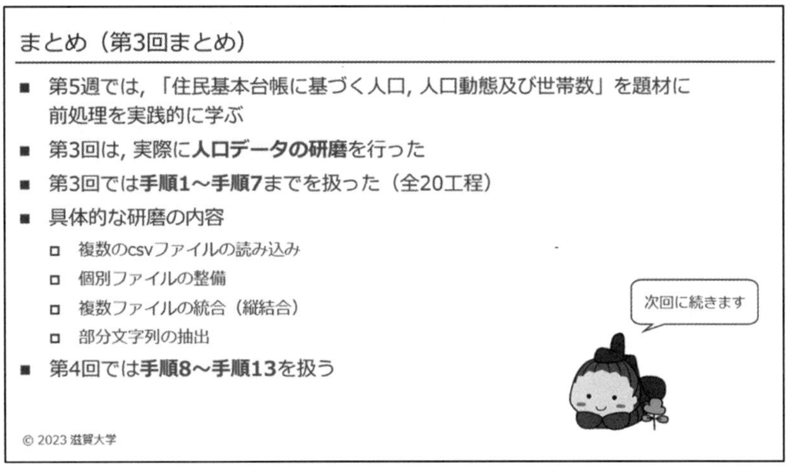

まとめ（第3回まとめ）

- 第5週では，「住民基本台帳に基づく人口，人口動態及び世帯数」を題材に前処理を実践的に学ぶ
- 第3回は，実際に**人口データの研磨**を行った
- 第3回では**手順1〜手順7**までを扱った（全20工程）
- 具体的な研磨の内容
  - 複数のcsvファイルの読み込み
  - 個別ファイルの整備
  - 複数ファイルの統合（縦結合）
  - 部分文字列の抽出
- 第4回では**手順8〜手順13**を扱う

次回に続きます

© 2023 滋賀大学

補足（第５週第３回で紹介した R コードの説明）

機能	今回紹介したコード	第３週で紹介した類似のコード
文字列の置き換え	gsub	str_replace

第4回　データ研磨実践演習　データ研磨工程②

イントロダクション

- 第5週では、「住民基本台帳に基づく人口、人口動態及び世帯数」を題材に、前処理を実践的に学ぶ
- これまでに学んだ知識・スキルが必要となるため、以下の復習を推奨
  - 第2週：データリテラシー
  - 第3週：データ研磨スキル
- 第4回では、実際のデータをもとに、**前処理の手順を解説していく**
- 第3回の続きにあたる、**手順8〜手順13**が対象

これまでに習ったことの総復習！
腕試しのつもりで頑張ろう！

© 2023 滋賀大学

- 第5週では、これまでに学んできたデータリテラシーやデータ研磨のスキルを複合的に扱っていきます。
- 題材となるデータは、「住民基本台帳に基づく人口、人口動態及び世帯数」です。
- 第5週第4回は、第3回に引き続き、人口データの研磨を行っていきます。
- 全部で20個ある研磨手順のうち、手順8から解説していきます。
- データ研磨の中でも特に使用頻度の高い、データの横結合やグループ集計などを扱います。

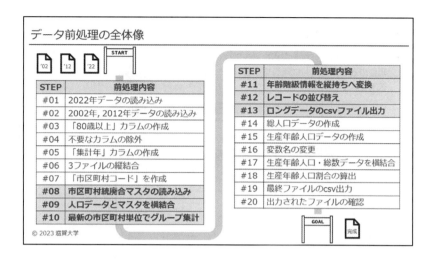

- これは、人口データの研磨プロセスの全体像です。
- 元データの読み込みからはじまり、最終的に作りたいファイルを出力するまでの全工程を20個の手順に分けて説明していきます。
- 全体の研磨手順のイメージがなかなか頭の中で思い描けないうちは、時々この全体像に立ち戻って、今どの部分の前処理を行っているのかを確認していきましょう。

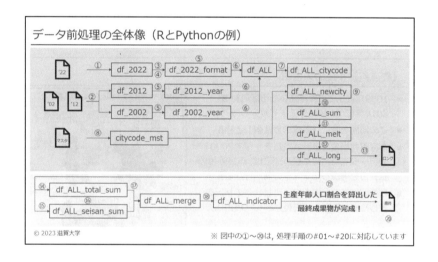

- データ研磨によって生成されるデータ間の関係性を、処理の流れに沿って整理した図です。
- この図の中に登場する①〜⑳は、前のページで示した20個のSTEPの番号と対応しています。
- 以降の資料の見出しには「#」がついていますが、この図における手順の番号を表しています。

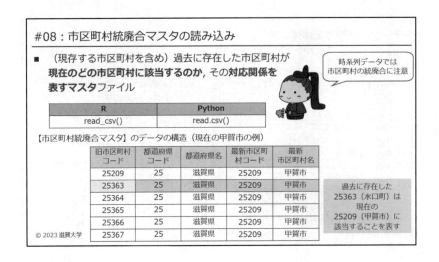

- 手順7では、6桁の団体コードから5桁の市区町村コードを生成するところまで扱いました。
- 手順8では、「新旧市区町村マスタ.csv」というcsvファイルの読み込みを行います。
- 手順7で生成した市区町村コードは、あくまでデータが作成されたタイミングでの市区町村の情報である点に注意しなければなりません。
- マスタファイルは、左端のカラムがデータが作成された時点での市区町村コードで、その市区町村が現時点ではどの市区町村に該当するのかという情報が2〜5列目に格納されています。
- ひとつ例を挙げると、過去に存在していた市区町村コード25363（滋賀県水口町）は、2023年現在では25209（滋賀県甲賀市）となっていることを表しています。

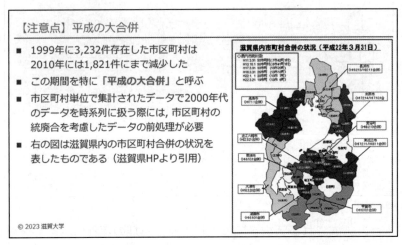

- 市区町村の統廃合に関するコラムです。
- 2023年時点で、日本にはおよそ1,700の市区町村が存在しますが、1999年には今の2倍近い、3,232の市区町村が存在していました。
- それが、2010年にかけての約10年間のうちに半減しましたが、それは、行政基盤の確立や行政の効率化を目的として、国が合併を推進していたことが理由です。
- 1999年〜2010年頃にかけて行われた市区町村の統廃合を「平成の大合併」と呼びます。
- 市区町村単位で集計されたデータで、2000年前半のデータを扱う際には、市区町村の統廃合情報を考慮する必要があることを覚えておきましょう。

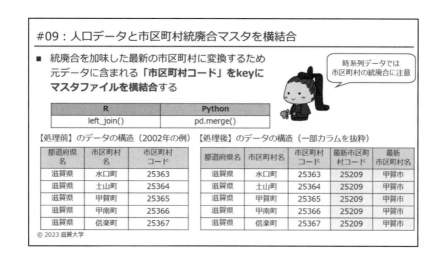

- 手順9では、人口データに対し、市区町村コードをkeyとして、マスタファイルを横結合します。
- [訂正] Rではjoin()を、Pythonではpd.merge()を使います。
- データの横結合を行う際にポイントとなるのは以下の3点です。
- どのデータとどのデータを結合するのか。
- どの項目をkeyとして結合するのか。
- 結合のパターンはどれか（left/right/inner/outer）。今回はinner（内部結合）で対応しましょう。

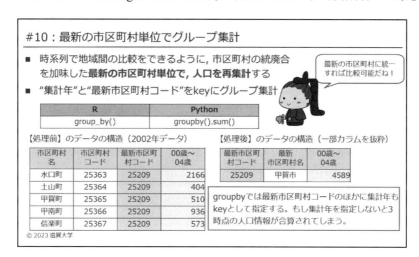

- 手順10では、市区町村の統廃合情報を反映させた後の、最新の市区町村単位で人口をグループ集計していきます。
- グループ集計は、Rではgroup_by、Pythonではgroupbyを使います。
- グループ集計を行う際のポイントは、「何を1つのグループとしてみなすのか」という点です。
- 今回は、市区町村の統廃合を考慮した上で市区町村単位の人口を合算したいので、集計年と市区町村コードの組み合わせを1つのグループとしてみなします。
- 集計年を指定せずに市区町村コードのみを指定してグループ集計を行うと、2002年と2012年と2022年の人口が合算されてしまうので注意しましょう。

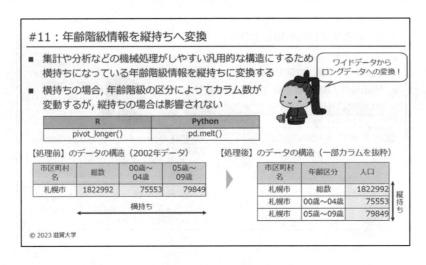

- グループ集計に関するコラムです。
- 表のデータについてグループ集計を行う際に何故集計年の指定が必要なのか考えてみましょう。
- 滋賀県甲賀市は 2004 年に 5 つの町が合併して誕生したものであるため、2002 年のデータにおいては、現在の甲賀市を構成する町ごとのレコードに分かれています。
- グループ集計の key に集計年を含めた結果が①の表で、含めなかった結果が②の表です。
- 両者の結果を見比べて、グループ集計を行う際のグループの定義について理解を深めましょう。

- 手順 11 では、横方向に格納されているデータを縦方向に変換していきます。
- これを、ワイドデータからロングデータへの変換と呼んだり、データの縦横変換などと呼ぶことがあります。
- R では pivot_longer()を、Python では pd.melt()を使います。
- ロングデータもワイドデータも、いずれにもそれぞれメリットがありますが、今回、年齢区分別の人口データを縦持ちに変換するメリットはどこにあるのか考えてみましょう。
- データの仕様にデータの構造が左右されない点がメリットであり、例えば今後 5 歳階級ではなく 1 歳階級ごとに人口データが公開されたとしても、データの構造には影響はありません。
- ワイドデータは人間が見てわかりやすく、ロングデータは機械処理に適している構造です。

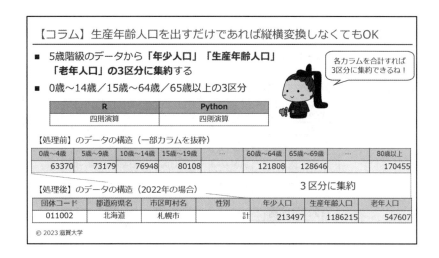

- 今回は、汎用的な構造とするためにロングデータに変換しましたが、ただ生産年齢人口を計算するだけであればワイドデータのまま処理を進めても問題はありません。
- ワイドデータ、ロングデータのどちらが適しているかは、処理の後工程におけるデータの使い方をイメージして検討すると良いでしょう。

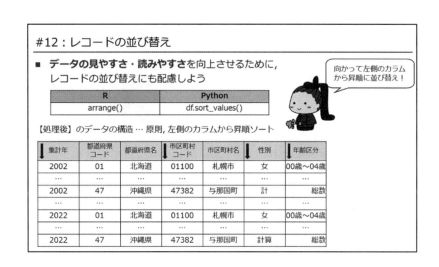

- 手順12では、データの見やすさや解読しやすさを向上させるために、レコードの並び替えを行います。
- レコードの並び替えは、Rでは arrange()、Python では df.sort_values()を使います。
- データの左側の項目からレコードが並び替えられていると、データの見やすさや解読のしやすさが向上するので、レコードの並び替えにも気を配ると良いでしょう。

- レコードの並び替えに関するコラムです。
- 人口データを例に説明すると、年齢区分の情報において「0歳」とするか「00歳」とするかによって、レコードを並び替えたときに結果に違いが生まれます。
- このケースでは、先頭の数字を基準にレコードが並び替えられるため、本来であれば0歳〜4歳のあとに5歳〜9歳が並んで欲しいところですが、55歳〜59歳の後に登場してしまいます。
- データとして理解しやすい並びとなるような命名の仕方を工夫することも重要です。

#13. ロングデータのcsvファイル出力

- 出力する際には以下の点をよく確認した上でオプションを設定する
  - 出力先のパス（どこに出力するか）
  - 出力ファイル名（どんな名前で出力するか）
  - ヘッダーやindexの出力の有無
  - データの区切り文字（カンマ, タブなど）
  - 文字コード（shift-jis, utf-8など）

R	Python
write.csv()	df.to_csv()

> 出力されたファイルを開いて確認しよう！

© 2023 滋賀大学

- 手順13では、ここまで前処理したデータをcsvファイルとして出力します。
- 手順1,2で扱ったcsvファイルの読み込みと対になる処理で、基本的なプログラムの書き方は同じです。
- Rではwrite.csv()を、Pythonではdf.to_csv()を使います。
- csvファイルの読み込みと同様に、「どこに」「どんな名前で」「どんな仕様で」出力するのかをオプション部分で定義しましょう。

まとめ

- 第5週では，「住民基本台帳に基づく人口，人口動態及び世帯数」を題材に前処理を実践的に学ぶ
- 第4回は，前回に引き続き，人口データの研磨を行った
- 人口データの研磨は全部で20の工程に分かれますが，第4回では**手順8～手順13**までを扱った
- 具体的な研磨の内容としては，データの横結合やグループ集計を中心に，ロングデータ化したデータを出力するところまで対応した
- 第5回では**手順14～手順20を扱う**

次回に続きます

第5回　データ研磨実践演習　データ研磨工程③

データサイエンスの必須スキル！データ研磨入門　　滋賀大学

第5週第5回
データ研磨実践演習
データ研磨工程③

帝国データバンク
菊川　康彬

© 2023 滋賀大学

イントロダクション

- 第5週では，「住民基本台帳に基づく人口、人口動態及び世帯数」を題材に，前処理を実践的に学ぶ
- これまでに学んだ知識・スキルが必要となるため，以下の復習を推奨
  - 第2週：データリテラシー
  - 第3週：データ研磨スキル
- 第5回では，実際のデータをもとに，**前処理の手順を解説していく**
- 第4回の続きにあたる，**手順14〜手順20**が対象

これまでに習ったことの総復習！
腕試しのつもりで頑張ろう！

© 2023 滋賀大学

- 第5週では、これまでに学んできたデータリテラシーやデータ研磨のスキルを複合的に扱っていきます。
- 題材となるデータは、「住民基本台帳に基づく人口、人口動態及び世帯数」です。
- 第5週第5回は、第3回、第4回に引き続き、人口データの研磨を行っていきます。
- 全部で20個ある研磨手順のうち、手順14から解説していきます。
- 前回も登場したデータの横結合やグループ集計など、使用頻度が高いスキルも再度登場するので復習のつもりで取り組んでみましょう。

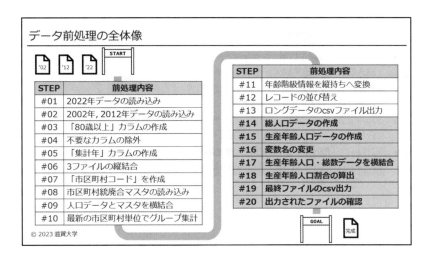

- これは、人口データの研磨プロセスの全体像です。
- 元データの読み込みからはじまり、最終的に作りたいファイルを出力するまでの全工程を 20 個の手順に分けて説明していきます。
- 全体の研磨手順のイメージがなかなか頭の中で思い描けないうちは、時々この全体像に立ち戻って、今どの部分の前処理を行っているのかを確認していきましょう。

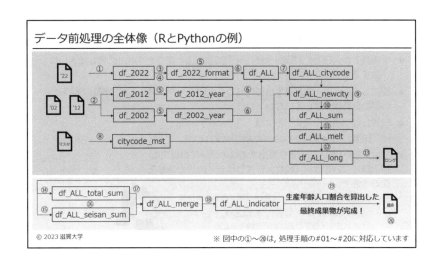

- データ研磨によって生成されるデータ間の関係性を、処理の流れに沿って整理した図です。
- この図の中に登場する①〜⑳は、前のページで示した 20 個の STEP の番号と対応しています。
- 以降の資料の見出しには「#」がついていますが、この図における手順の番号を表しています。

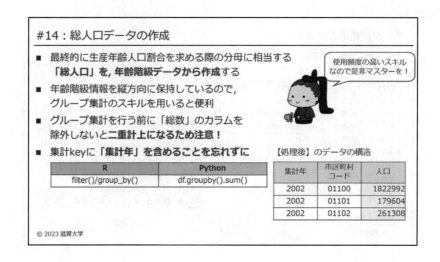

- 手順 14 では、生産年齢人口が総人口に占める割合を計算する上で必要となる、分母に相当する「総人口」のデータを作成していきましょう。
- データの構造はロングデータとなっているため、グループ集計のスキルを用いることで各年における市区町村ごとの人口を計算することができます。
- 「年齢区分」のカラムに「総数」という区分が存在するため、このままグループ集計を行うと重複計上となってしまうので事前に「総数」のレコードを除外する必要があります。

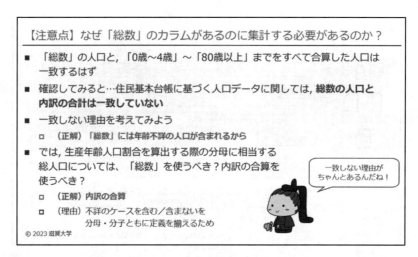

- 元データに「総数」というカラムが存在するにも関わらず、何故わざわざグループ集計によって「総人口」を計算する必要があるのでしょうか。
- その理由はデータの仕様に由来します。年齢が不明である住民は総数には計上されるものの、どの 5 歳階級にも割り振られないからです。
- 第 7 回で説明する「論理チェック」という観点を身につけていると、この仕様にも気が付くことができます。

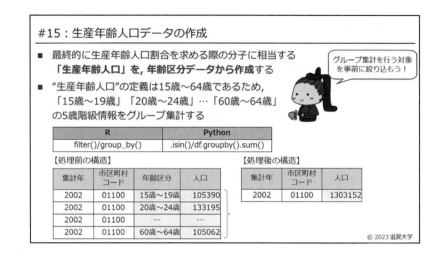

- 手順15では、生産年齢人口の割合を求める際の、分子に相当する生産年齢人口を算出します。
- 生産年齢人口とは、15歳〜64歳までの人口のことを指し、経済を支える上で生産活動の中心となって支えている世代として定義されます。
- グループ集計を行う前に、年齢区分が15歳〜64歳に該当するレコードに絞り込んだ上で、5歳階級ごとの人口をグループ集計により求めましょう。
- レコードを絞り込む際には、Rはfilter()を、Pythonはisin()を使います。

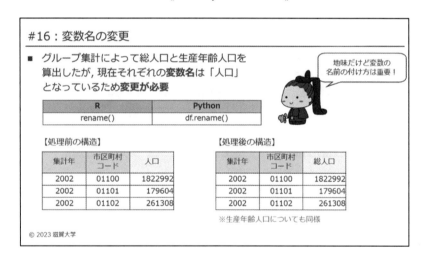

- 手順16では、変数名の変更を扱います。
- ここまで、「総人口」と「生産年齢人口」の2つをグループ集計により計算しましたが、いずれも変数名が「人口」となっているため、区別できるように変数名を変更してみましょう。
- 変数名を変更する際には、RでもPythonでもrename()を使います。

- 手順 17 では、生産年齢人口のデータと総人口のデータを横結合により 1 つのデータにします。
- 人口データに新旧市区町村マスタを横結合した際とやり方は同じです。
- 横結合を行う際の結合の key は、集計年と市区町村コードの 2 つを指定しましょう。
- すると、表のように、集計年ごとに 1 地域 1 レコードで管理され、総人口と生産年齢人口のデータが横並びとなる構造のデータが生成できました。
- ここでは、left_join でも inner_join でも得られる結果は同じになります。

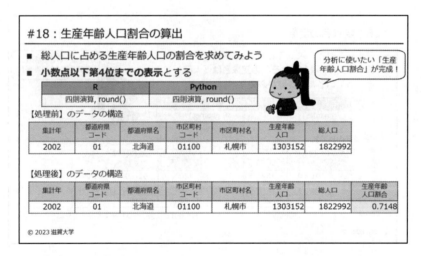

- 手順 18 では、生産年齢人口を総人口で割ることで、生産年齢人口割合を求めます。
- 生産年齢人口は小数点以下 4 桁までの表示とするよう指示があるため、R でも Python でも round()を使って対応していきます。

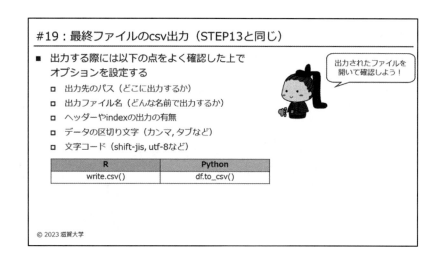

- 目標である生産年齢人口割合を算出できたので、最後に csv ファイルとして出力しましょう。
- 手順 13 で扱ったやり方と同様です。

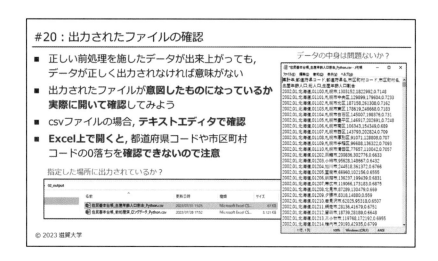

- 手順 20 は、スキルではありませんが、手順 19 で出力した csv ファイルを確認し、最終成果物のデータに問題ないかをしっかりと確認していきましょう。
- ファイルの出力に関しては、処理としてはエラーが発生していなくても、意図した結果が得られていないケースもあるため、チェックを行うことが非常に重要です。
- 今回は csv ファイルとして出力したので、テキストエディタ上でファイルを開いてみましょう。
- 想定しているデータと比較して違和感はないか、ヘッダー部分に問題はないか、データはカンマ区切りとなっているか、人口は整数で表示されているか、生産年齢人口は指示どおりに小数点以下 4 桁での表示となっているか、など確認すべき点はたくさんあります。

講義の解説

まとめ

- 第5週では,「住民基本台帳に基づく人口, 人口動態及び世帯数」を題材に前処理を実践的に学ぶ
- 第5回は, 前回に引き続き, **人口データの研磨**を行った
- 人口データの研磨は全部で20の工程に分かれるが, 第5回では**手順14〜手順20**までを扱った
- 具体的な研磨の内容としては, ロングデータを用いて, 生産年齢人口割合の算出を行った上で, 最終的な成果物を出力するまでの工程を扱った
- 第6回では, これまで研磨してきたデータを用いて**データの可視化**を扱う

次回に続きます

第６回　データ研磨実践演習　データの可視化

データサイエンスの必須スキル！データ研磨入門　　　　　　滋賀大学

第5週第6回
データの前処理実践演習
データの可視化

帝国データバンク
岡部　壮一郎

© 2023 滋賀大学

データの可視化とは？

■ データの可視化とは，私たちが直接見ることができない現象・関係性等を，
図やグラフ等で見えるようにすること

■ 平均，分散，相関係数等は要約統計量として，データを知る要素になるが，
実際に可視化してみてみないとわからないことも多い

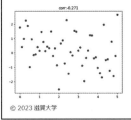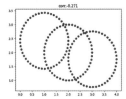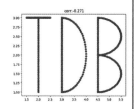

© 2023 滋賀大学

- 可視化とはデータを図やグラフで表すことで、データの特徴を知る手段です。
- 平均，分散，相関係数などといった要約統計量もデータを知る手段ですが過信してはいけません。
- 下の３つの散布図は、どれも相関係数が－0.271 のものですが、データの構造が全然違います。
- 要約統計量はあくまで要約として捉え、素のデータを可視化によって見ることが重要です。

可視化の本質

■ 可視化は，「データ×見せ方」で決まる
■ 見せ方はPythonならmatplotlib，seaborn等にあなたのこだわりを具現化する
　武器がたくさん眠っている
■ しかし，データの扱い方が下手だと、見せたいものもうまく表現できない

■ 今回はデータにフォーカスし，研磨したデータを可視化しやすいよう更に磨く

覚えた研磨は裏切らない

© 2023 滋賀大学

- 可視化は、データそのものとその見せ方という要素に分けられます。
- 本講義では主にデータそのものを取り上げます。
- 前回までのデータ研磨によって利活用しやすいデータにはなりました。これを少し変形させてグラフ向きのデータを作っていきます。

速習！見せ方のあれこれ

■ 主なものを挙げているが、どんな風に見せたいかがポイント

■ 一次元データのグラフ
　□ヒストグラム：データを階級に分け、階級毎のその頻度を表現するグラフ
　□箱ひげ図　　：データの最大、最小、四分位数を一度に示すグラフ
■ 二次元データのグラフ
　□折れ線グラフ：時系列等連続的な変化を表現するグラフ
　□棒グラフ　　：棒の高さでデータの大小を表現するグラフ
　□散布図　　　：縦軸、横軸に2項目をとって、その関係性を表現するグラフ

© 2023 滋賀大学

- データの見せ方については第3週で紹介しましたが、どんな風にみせたいかというところがポイントです。

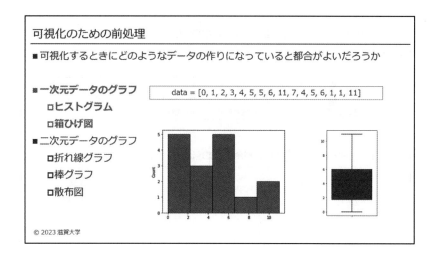

- 一次元データとは画面真ん中（data=[0, 1, 2, 3, 4, 5, 5, 6, 11, 7, 4, 5, 6, 1, 1, 11]）のように、一列のデータをイメージしてください。
- このデータだけからヒストグラムも箱ひげ図も作れます。
- これら２つのグラフは同じデータに基づいて作っていますが、見せ方が全然違います。
- 用途に応じて見せ方を工夫しましょう。

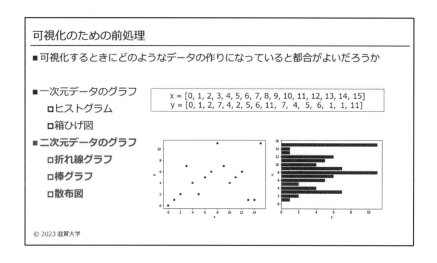

- 一方で、２種類のデータで表すのが二次元データです。
- 一次元では表から一列持ってくるだけでしたが、二次元だと２つのデータの対応が必要になってきます。
- つまり、二次元データのグラフを描こうと思ったら、それ専用にデータを研磨してあげないといけません。これが可視化で必要な「データ」という要素です。

仮説を思い出そう（第5週第1回のおさらい）

■ 検証テーマ①：10年前, 20年前と比較して生産年齢人口割合に変化はあるだろうか？

> 日本は高齢化が深刻だと聞くけれど…
> 高齢化が進んでいるということは、老年人口が占める割合が増えていて
> 生産年齢人口割合は低下しているのでは…？

■ 検証テーマ②：生産年齢人口の割合に地域差はあるのだろうか？

> 高齢化は日本全体で起きていることだけど
> 例えば都市部と地方では生産年齢人口に違いはあるのだろうか？
> 地方の方が高齢化は深刻そう…ということは？

© 2023 滋賀大学

- ところで、住民基本台帳データを加工する前にこんな仮説を立てていたのを覚えていますか？
- 検証テーマを可視化によって見ていこうと思います。

仮説を可視化で検証しようとすると…

■ 検証テーマ①：10年前, 20年前と比較して生産年齢人口割合に変化はあるだろうか？
　□考えること①-1：生産年齢人口割合について語るグラフが欲しい
　□考えること①-2：時系列で推移が見えるとよい
　→生産年齢人口割合と時系列な要素で表現する**2次元データ**が望ましい

■ 検証テーマ②：生産年齢人口割合に地域差はあるのだろうか？
　□考えること②-1：生産年齢人口割合について語るグラフが欲しい
　□考えること②-2：例えば県別に違いがわかるとよい
　→生産年齢人口割合を県別で表現する**2次元データ**が望ましい

© 2023 滋賀大学

- 検証テーマ①は「生産年齢人口割合」の変化を知りたいので、時系列的に見ることができると望ましいです。
- したがって「生産年齢人口割合と時系列な要素で表現する2次元データでの可視化」に取り組みます。
- 検証テーマ②は①と同じく「生産年齢人口割合」に注目しつつ、地域によってどうなっているのかに関心があります。
- したがって「生産年齢人口割合を県別で表現する2次元データでの可視化」に取り組みます。

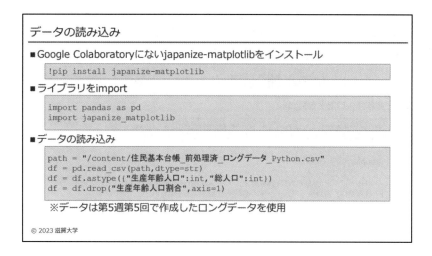

- 今回は仮説を可視化で検証することが主眼であるため、プログラミングは目安として Python だけで進めていきます。
- まずは漢字やひらがなをグラフ上に出力するためのライブラリ japanize_matplotlib をインストールし、インポートします。
- データの読み込みは、前回出力したデータを読み込みましょう。
- これで下準備は終了です。

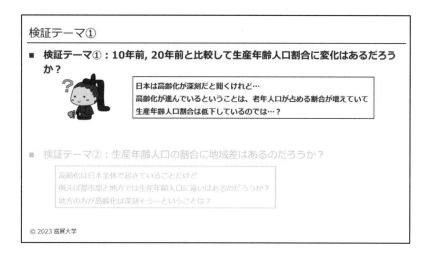

- 検証テーマ①から分析します。
- 時系列で表現するために groupby によって生産年齢人口割合を出していきます。
- 仮説として、「日本は高齢化が深刻」なので、「老年人口が占める割合が増えている」から、「生産年齢人口割合は低下している」と考えました。これを検証していきましょう。

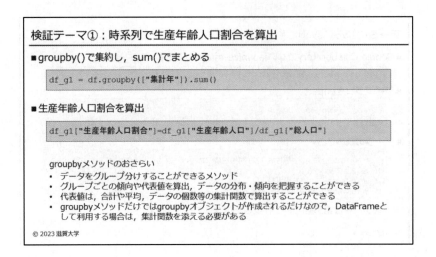

- groupby では「集計年」毎の人口の合計（日本全体の生産年齢人口と総人口）を計算し、それらの比率を出せば終わりです。

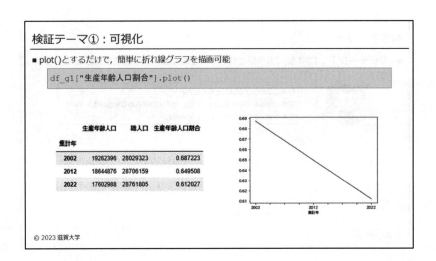

- 最後に可視化工程です。
- pandas にはグラフ描画機能があるので、plot 関数を使えば、お手軽に折れ線グラフを作れます。
- 今回は集計年と生産年齢人口割合という二次元データを用いて可視化しました。
- ３時点だけですが、一貫して生産年齢人口割合が低下していることがわかります。
- 仮説のとおり、少子高齢化が影響していそうです。

検証テーマ②

※ 検証テーマ①：10年前, 20年前と比較して生産年齢人口割合に変化はあるだろうか？

> 日本は高齢化が深刻だと聞くけれど…
> 高齢化が進んでいるということは、老年人口が占める割合が増えていて
> 生産年齢人口割合は低下しているのでは…？

■ **検証テーマ②：生産年齢人口の割合に地域差はあるのだろうか？**

> 高齢化は日本全体で起きていることだけど
> 例えば都市部と地方では生産年齢人口に違いはあるのだろうか？
> 地方の方が高齢化は深刻そう…ということは？

© 2023 滋賀大学

- 次に検証テーマ②へいきましょう。
- 今度は県別で都市部と地方をみていきます。
- 仮説として、「地方の方が高齢化は深刻そうだな」と考えました。都市・地方と明確な基準はありませんが、東京を都市と見立て、他の県がどうなっているかみていきます。

検証テーマ②：県別に生産年齢人口割合を算出

■groupby()で集約し, sum()でまとめる

```
df_g2 = df.groupby(["都道府県名","集計年"]).sum()
```

■生産年齢人口割合を算出

```
df_g2["生産年齢人口割合"]=df_g2["生産年齢人口"]/df_g2["総人口"]
```

複数列をgroupbyしたときのインデックスについて
- 今回のように複数列をgroupbyして集計すると, マルチインデックスという状態になる
- マルチインデックスはインデックスを 2 つ持っているだけだが, 階層関係が存在する
- Groupbyで複数集計するときはリストを与えるが, リストの先頭が最上位階層となる
  つまり今回は, 都道府県名が上位階層, 集計年が下位階層になる
- 階層によって後続処理のしやすさが変わるので, 階層を知っておくことは重要

© 2023 滋賀大学

- 算出の仕方は検証テーマ①に似ています。
- しかし groupby では「集計年」と「都道府県名」でまとめることがポイントです。

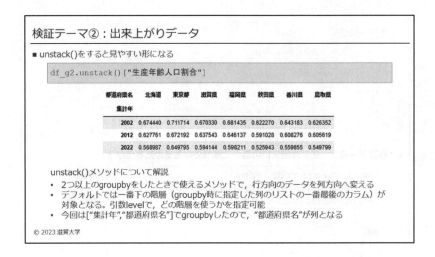

- 2つの要素で groupby をかけた場合は、unstack 関数を使うと見やすくなります。
- unstack はこの解説のとおり、複数の項目に基づいて groupby したときにひとつを列にもってくるメソッドです。
- 今のケースでは、集計年と都道府県に関して集計したので、集計年を行、都道府県を列とした生産年齢人口割合のクロス集計表が表示されています。

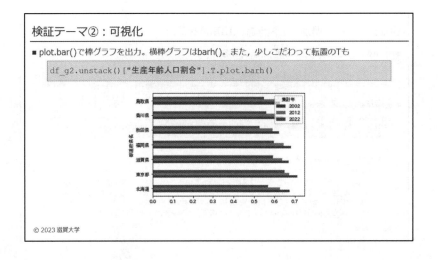

- 最後に可視化工程です。
- plot.barh と入力すると、横向きの棒グラフができあがります。更に plot.barh の前に転置という意味の T を入れてあげると更に見やすくなります。
- それでは仮説を考えます。どの地域と比べても、東京の生産年齢人口割合が高いということがわかります。このことからやはり都市部のほうがまだ耐えられている印象です。
- しかしその東京でも 2022 年では、滋賀県の 2002 年に劣っていることがわかります。
- 生産年齢人口割合の地域差はある程度見られましたが、日本中どこでも比率の低下が深刻な問題となりそうです。なかなか悲しい結果ですが、言葉だけの「少子高齢化」より、リアルに日本を知ることができました。

まとめ
_____

- 可視化は無機質なデータを私たちにもわかるものにしてくれる

- 可視化になっても、データを磨くことは重要

- 「住民基本台帳」データはこれでおしまい。よく磨きました！

- 今回は可視化をとりあげてきました。
- 可視化は、ただの数値や文字列のデータを、私たちがわかるようなものにしてくれる手段です。
- そして可視化をするにもデータ研磨が重要でした。実は簡単な可視化なら plot みたいに手軽にできてしまいます。このような簡単な方法を使うためにも、データを磨くことは大切です。
- これで住民基本台帳データの演習はこれで終わりです。お疲れ様でした。

第7回　データ研磨実践演習　データ研磨後にやるべきこと

- 第5週では、これまでに学んできたデータリテラシーやデータ研磨のスキルを複合的に扱っていきます。
- 第5週第7回では、研磨完了後にやるべきデータのチェックや記録しておくべき情報の整理方法について扱います。
- データは研磨が終わったらそれで完了なのではなく、研磨したデータの正しさの確認や、研磨に関する情報を記録することも重要です。

データ研磨が正しく行えたかどうかチェックしよう

- データ研磨が正しく行えていないと，**その後の集計や分析結果が誤ったものになってしまう**
- データから正しい情報を引き出すためにも，データのチェックは必要不可欠
- "Garbage in, Garbage out" という言葉があるが，データ分析においても同じこと
  - 直訳：ゴミを入れれば，ゴミが出てくる
  - 本来の意味：無意味なデータを入力すれば，無意味な結果が返ってくる
  - **データ分析：誤りのあるデータを用いた分析では，誤った分析結果が返ってくる**
- データのチェック方法
  - セルフチェック
  - ダブルチェック

正しいデータを作ることが重要なんだね！

© 2023 滋賀大学

- データのチェックが重要なのは、データの研磨が正しく行えていないと、そのデータを用いて行う集計や分析の結果までもが誤ったものとなってしまうからです。
- Garbage in, Garbage out という言葉がありますが、データ分析にあてはめると「誤りのあるデータを用いた集計や分析では、得られた結果も誤ったものとなってしまう」という意味です。
- データから正しい情報を引き出すためにも、データのチェックは必要不可欠と言えます。
- データチェックには、大きくわけると個人で行うセルフチェックと、複数人で行うダブルチェックがあります。

チェックの種類（セルフチェックとダブルチェック）

- セルフチェック
  - データ研磨を行った本人が，自ら，データの前処理が正しく行われているかどうかを確認
  - 研磨が完了したタイミングでチェックを行うだけではなく，研磨の**各工程においても「この処理が正しく実行されればこんな結果が得られるはず」という観点をもってチェック**しよう
- ダブルチェック
  - 同じデータを，**複数人がそれぞれ異なる環境でデータの研磨を行い，最終的に生成されるデータが完全に一致するかどうか**でチェックを行う
  - 研究の分野においては個人でデータを作成することも多いがビジネスでは複数人で作業を行うケースもある
  - **複数人で完全一致の確認を行うことで，セルフチェックより強固なチェック**を行うことができる

セルフチェックを習慣づけよう！

© 2023 滋賀大学

- セルフチェックとは、データの前処理を行った本人が、自分自身でデータ研磨の正しさを確認することを指します。
- セルフチェックは、すべての研磨工程が完了した段階ではじめて行うのではなく、研磨の各工程においても「この処理が正しく実行されればこのような結果が得られるはずだ」という視点を持って、逐一行う習慣をつけましょう。
- ダブルチェックの方法として、同じ入力データを複数の人が別々の環境下でデータ研磨を行い、最終的に生成されるデータが完全に一致するまで研磨を繰り返す方法が挙げられます。
- 複数人で出力データの完全一致確認を行うことによって、セルフチェックと比べてより強固なチェックを行うことができます。

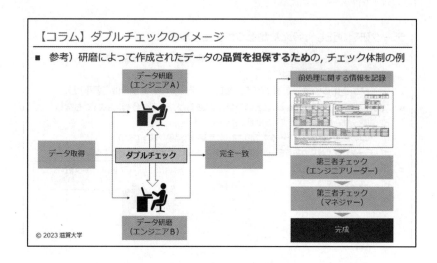

- ● ダブルチェックに関するコラムです。
- ● この図はデータ研磨を行う体制の一例を表し、エンジニアAとエンジニアBという2人のエンジニアがお互い別々の処理環境でデータ研磨を行い、最終的に作られたデータが完全一致することを目指します。
- ● 必須ではありませんが、データ研磨を直接行っていない第三者によるさらなるチェックを行うこともあります。

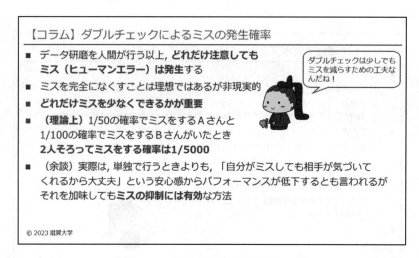

- ● ダブルチェックによるチェックを行っても、すべてのミスを発見できる訳ではありません。
- ● データ研磨も人間が行うものである以上、どれだけ注意しても、どれだけ習熟した人であっても、ヒューマンエラーを完全になくすことは不可能です。
- ● ミスを完全になくすことはできないため、どれだけミスを減らすことができるかが重要となってきますが、そのための方法のひとつがダブルチェックです。

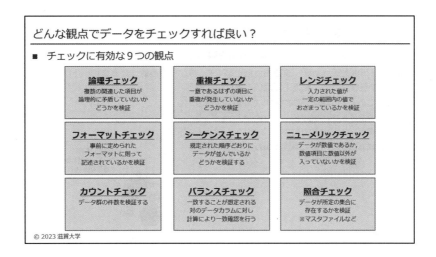

- セルフチェックやダブルチェックについて説明しましたが、具体的にはどのような点に着目してチェックを行えば良いのでしょうか。
- チェックに有効な観点を 9 つに整理してみました。
- それぞれがどのようなチェックのことを指すのかは、次のページにて具体例を交えて解説します。

具体的なチェック方法

■ 具体的にどんなチェックを行うべきかは, 人口データを例にした以下を参照

チェックの種類	事例
論理チェック	"日本人人口" + "外国人人口" = "総数" の関係が成立しているか
重複チェック	都道府県別のデータにおいて, 同じ都道府県が複数存在していないか
レンジチェック	人口データにマイナスの値が含まれていないか
フォーマットチェック	都道府県コードは2桁の文字列, 人口は整数として定義されているか
シーケンスチェック	原則, 左側のカラムから昇順でレコードが並び替えされているか
ニューメリックチェック	数値で定義されるべき人口データの中に単位の "人" が含まれていないか
カウントチェック	都道府県単位のデータであればレコード数は47となっているか
バランスチェック	5歳階級ごとの人口の総和と, "総数" のカラムは一致するか
照合チェック	データに存在する市区町村コードがマスタファイル内にすべて存在するか

© 2023 滋賀大学

- 論理チェックとは、関連した項目に矛盾がないか、想定される関係性が成立しているかを確認するものです。人口データで言えば、日本人人口と外国人人口の合計が総数のデータと一致するかどうかという関係性を確認するものです。
- レンジチェックとは、値が一定の範囲内におさまっているかどうかを確認するものです。
  人口であれば、マイナスの値をとっていないか、月日に関しては、月であれば 1〜12、日にちであれば 1〜31 の間におさまっているかどうかという観点でデータをチェックする方法です。
- ニューメリックチェックとは、数値で定義されるべき項目の中に、数値以外の情報が格納されていないかを確認するものです。
  例えば、人口であれば数値で定義されることが望ましいですが、データの中に単位を表す「人」という文字が含まれていないかどうかを確認することがニューメリックチェックです。

データの研磨後に残しておくべき情報とは？①

- データ研磨が終わったら, **研磨の記録を残しておく習慣をつけよう**
- 自ら研磨を行ったデータであったとしても, 後から振り返ったときに
わからないこと・覚えていないことはよくある
    - このデータは**どこからどうやって入手した**データ？
    - 何故このような処理をしているのか？
    - 研磨プロセスの中で登場する**マスタファイルはどれ？**
    - 結局, **入力データ・最終的な出力データはどれ？**

記録しておくことで
思い出したり調べたり
する手間が省けるね！

© 2023 滋賀大学

- データ研磨の後にやるべきこととして、「情報の記録」も重要です。
- データ研磨が終わったら、研磨の記録を残す習慣をつけましょう。
- たとえ自分自身でデータ研磨を行ったデータであったとしても、あとから振り返ったときに情報が記録されていないと、思い出したり調べたりする手間が発生してしまいます。
- どのように取得したデータで、どのようなロジックでデータ研磨を行い、最終的な出力データはどこに保存してあるのかなどを記録することをオススメします。

データ研磨後に残しておくべき情報とは？②

- データ研磨の記録として, 以下のような情報の記録を推奨（例）

主な内容	説明
inputデータ	研磨に用いた元データ（名称も正確に）
データ取得元	取得元のURLの記録や, 統計表の番号の記録
outputデータ	研磨によって作られた最終ファイル（作成日も記録）
マスタ	研磨に用いたマスタの種類
作成者	研磨担当者の情報の記録
データの粒度	どの集計単位で作成されたデータかを記録
研磨ロジック	計算が必要な項目などの具体的な算出方法の記録
データサンプル	第三者がチェックできるように, サンプルデータを抜粋
備考	使用したデータ特有の課題や注意事項などを漏れなく記録

© 2023 滋賀大学

- データ研磨の記録として残しておくと役に立つであろう項目を整理しました。
- 研磨に用いた元データはどれなのか、そのデータはどうやって取得したものなのかは最低限記録しておくようにしましょう。
- 例えば、「e-Stat の国勢調査のページから取得した」という記録だけでは情報として不十分です。
- 同じ統計調査でも集計表は多数存在しますし、どのデータなのかを特定できるだけの情報を記録しておくと良いでしょう。
- その他、新たに作成した項目の定義や、第三者が見てもわかるようにデータ特有の癖や注意点などがあれば備忘録として記録しておきましょう。

まとめ

- データ研磨が完了しても, まだやるべきことがある
- 最終出力データが誤っていると, **その後の集計や分析にも影響**が出てしまう
- データが正しく生成されているか, **セルフチェックやダブルチェックを行うこと**
- チェックの主な観点として「論理チェック」や「重複チェック」などがある
- データ研磨に関する**情報を記録しておくと後々困らない**
- 何のデータをどのように処理したのか, **しっかりと記録しておこう！**
- 次回, ついに最終回！

> 研磨が終わったあとも
> やることがあるんだね！

第8回　エピローグ　社会で活躍できるデータサイエンティストへ

- 本講座では、データに適切な前処理を施していくためのデータ研磨のプロセスを学んできました。
- まずは、データリテラシーについて学びました。次に、データ研磨のプロセスを順にみてデータ研磨スキル全般を学びました。さらに、身近な事例を用いて、データを解析可能な状態に整備し、構造化するプログラミング演習を行いました。最後に、公的なデータを題材にしたデータ研磨の実践的な演習として、人口データを可視化して、分析に活用する過程を学びました。
- 講座全体を通して、データからビジネスに活用可能な情報を引き出すための基本的な知識とスキルを習得していただけたかと思います。

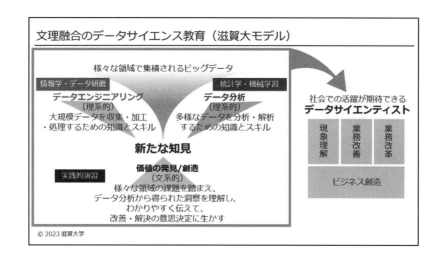

- 滋賀大学では、実社会で活躍できるデータサイエンティストを育成するために、文理融合の教育を行っています。世の中に溢れるビッグデータを背景に、まずは文系的な視点で様々な領域の課題を見つけていきます。取り組む対象の課題に応じてデータを収集して、加工し、処理するためには理系的なエンジニアリングの知識が必要です。今回学んだ、データ研磨のプロセスやプログラミングもそれに相当します。

- 研磨されたデータに、当てはめるモデルを決めて分析を行っていくためには、統計学や機械学習という理系的な知識とスキルを使います。分析から得られた結果を解釈する洞察力や、人にわかりやすく伝える説明力は文系的能力といえます。データ解析から得られた洞察をいかにビジネスに展開して、業務改善や業務改革に関する意思決定につなげていくか、価値創造に向けてデータサイエンティストの役割の真価が問われるところです。

- データサイエンティストとしてのキャリアを開始しても、学びを継続していくことが大切です。実践的な現場知と大学等で学ぶ基本知を結びつける知のサイクルを回していきましょう。

- 知のサイクルを意識しながら、四つの能力を育てていくことをお勧めします。一つは、データを研磨して情報を抽出する能力です。次に、データによって考えを結論づける思考力。三つ目に、データから新たな可能性を見つけ、形にする創造力。最後に、データに基づくストーリーを語れる説明力を鍛えていくとよいでしょう。

- 皆様がデータも知識も磨き続けることによって、実社会で価値創造を起こせるデータサイエンティストとしての道を切り開いていくことを強く期待しています。

索　引

【R 関連】

- （マイナス）　47,50,96,97,112
%>%　54
%in%　58
&　58
|　58
and 条件　58
arrange　55,57,63,96,97,121
as.numeric　51,76,79
bind_rows　60,63,113
by　61,62
col_names　44
col_types　44
cols　66
Console　39
cp932　76
CRAN　38
desc　55
distinct　57,63
double 型　95
dpryr　38
drop_na　58,63
encoding　76,95
Environment　39
fileEncoding　46
filter　58,63,97,126,127
forcats　38
full_join　61,63
ggplot2　38,70,72
glimpse　45,48-52,55-60,62,66-69
group_by　56,63,68,69,72,77,79,95,99,119,126,127
gsub　114,115
head　45,76,77,95
if_else　59,63
inner_join　61-63,119,128
install.packages　76,95

keep_all　57
lag　56,63
left_join　61,63,128
library　43,52,76,95
locale　44,76,95
max　68
mean　68,77
median　68,69
min　68
min_rank　96,97,99
mutate　49,51,52,54,56,59,76,78,79,96,97,111,113
n　68
na　46
names_from　67
names_to　66
or 条件　58
Packcages　39
pivot_longer　66,72,120
pivot_wider　67,69,72
Plots　39
purr　38
read_csv　44,52,54,76,79,95,99,111,118
readr　38
rename　48,52,76,79,96,127
replace_na　51
round　128
row.names　46
Rstudio　39,41
select　47,52,54,66,77,79,95-97,99,112
shift-jis　46,95
skip　44
Source Editor　39
spread　69,72
str_detect　58,63,97,99
str_replace　51,52,115
str_replace_all　76,79

str_sub ·································50,52,114

stringr ·····································38

sum ·····························68,77,78,95

summarise ·········68,69,72,77,79,95,99

summary ·····································45

tail ···45

tibble ···································38,62

tidyr ·······································38

tidyverse ·····················38,52,54,76,95

unique ·····································45

values_from ·································67

values_to ···································66

write.csv ·····················46,52,122,129

パイプ演算子 ·····························54,95-97

文字列型 ·································76,96

【Python 関連】

-（マイナス）·····························50

& ···58

[[ ]] ··································47,52

| ···58

~ ···57

aggfunc ·····································69

Anaconda ···································40

and 条件 ·····································58

ascending ·····················55,57,90,92

assign ·············49,51,52,56,59,111,113

astype ···························51,82,89,93

axis ·····························60,68,84

barh ·······································138

columns ···············47,48,67,69,82-84,92

contains ·································91,93

copy ·······································81

count ·······································68

cp932 ···························46,81,89

deepcopy ·························81,82,86

drop ·······················47,52,83,112

dropna ···································58,63

dtype ·······································44

duplicated ·································57,63

encoding ·······················44,46,81,89

engine ·····································44

fillna ·····································51

from import ·································43

groupby
······56,63,68,83,86,90,93,119,126,127,136,137

head ·····························45,81,83,89

header ·························44,81,89

how ·····································61,62

id_vars ·····································66

identity ···································81

import as ·····················43,52,81,89

index ·························46,67,69

info ·····························45,52,82,89

inner ·······································61

int64 型 ·································82,89

isin ·····························58,63,127

japanize_matplotlib ·················71,135

left ·······································61

len ·······································69

matplotlib ·······················71,72,132

mean ·······································84

names ·····································44

np ···59

np.max ·····································69

np.mean ···································69

np.median ·································69

np.min ·····································69

np.int64 ···································51

np.sum ·····································69

np.where ·································59,63

NumPy ·························39,59,63

object 型 ·························82,89,112

on ·····································61,62

or 条件 ·····································58

outer ·······································61

pandas ·················39,43,52,81,89

pd ···43

pd.concat ·············60,63,68,84,86,113

pd.melt ·························66,72,120

pd.merge ···································61-63,119,128

pd.pivot_table ··································69,72

pd.read_csv ·······44,52,81,86,89,93,111,118

pivot ··67,72

plot ··136

plot.bar ··138

PYPI ··38

range ···90,92

reindex ··90,92

rename ··········48,52,68,82-84,86,92,127

replace ············51,52,82,86,89,93,114

reset_index ·····················67,68,72,90,92

round ··128

seaborn ···132

shift ···56,63

shift-jis ···46,89

skiprows ··44

sort_values ···········55,57,63,90,91,121

str ···············50,52,82,86,89,91,93,114

subset ··58

sum ············83,84,90,119,126,127,136,137

tail ··45

to_csv ·····························46,52,122,129

unique ···45

unstack ··138

values ··67,69

values_name ····································66

values_vars ······································66

var_names ·······································66

オブジェクト ································81,83

二重の角括弧 ································47

文字列混合型 ································82

【その他数字・アルファベット】

5W2H ··18,21,33

CSV ファイル ·44,46,52,76,109,111,118,122,129

Dataplex ···30

DWH ··29

e-Stat ·····················21,102,114,144

ETL(Extract, Transform, Load) ················37

Garbage in, Garbage out ·····················3,141

GitHub ···38,71

Google Colaboratory(Google Colab) ········40,41

input データ ·····································144

jupyterNotebook ·································40

key ·····································119,120,128

long データ ···································65-67

output データ ····································144

SAS ··37

Web スクレイピング ·····························29

wide データ ·································65-67,69

【あ】

値操作 ···50

異常値 ···25

一次元データ ····································133

エレメント（要素） ·······························24

円グラフ ···70

オープンソースソフトウェア ·····················37

オープンデータ ···································29

折れ線グラフ ·······························70,132,136

【か】

カウントチェック ·································143

可視化 ·······································70,72,131

カラムの作成 ·····················49,52,111,113

カラムの選択 ·································47,52

カラムの属性 ····································51

カラム名の変更 ·································48,52

キー変数 ···61

基本知 ··147

行間の演算処理 ···································56

グループ集計 ·················68,119,120,125,127

ゲーム売り上げ定点観測 ·························88

結合処理 ·····································53,60-62

研磨ロジック ····································144

現場知 ··147

現場力 ··7,9

研磨プロセスの設計 ·····························108

構造化データ ····································3

構造変換 ……………………………… 64-67
コード定義書 …………………………… 19,20

【さ】

作成者 …………………………………… 144
サブフォルダ …………………………… 43
散布図 …………………………………… 70,132
シーケンスチェック …………………… 143
集計関数 ………………………………… 68
住所辞書 ………………………………… 29
住民基本台帳 …………………………… 102
趣旨混在 ………………………………… 25
趣旨違い ………………………………… 25
照合チェック …………………………… 143
条件抽出 ………………………………… 58,60,63
条件分岐 ………………………………… 59
シンタックス（構文）………………… 25
数値型 …………………………………… 76,96,112
生産年齢人口 …………………………… 103
セマンティック（意味）……………… 25
セルフチェック ………………………… 141

【た】

縦結合 …………………………………… 60,63,113
縦長データ ……………………………… 65
ダブルチェック ………………………… 141
チートシート …………………………… 71
重複チェック …………………………… 143
重複削除 ………………………………… 57,63
データ …………………………………… 3
データ値 ………………………………… 23,25
データウェアハウス …………………… 29,37
データエンジニアリング ……………… 10,147
データエンジニアリング力 …………… 7
データ研磨 ……………… 2,3,9,13,32,37,146
データ構造 ……………………………… 23,24
データサイエンティスト …………… 7-9,36,147
データサンプル ………………………… 144
データ収集 ……………………………… 28,29
データ処理基盤 ………………………… 27

データ生成 ……………………………… 28,29
データ蓄積・整理 ……………………… 28,29
データの仕様 …………………………… 18
データの不備 …………………………… 23
データ分割 ……………………………… 28,29
データ分析・活用 ……………………… 28,29
データ分析力 …………………………… 7-9
データマート …………………………… 29
データリテラシー ……………………… 146
データリネージ ………………………… 28,30
データレイク …………………………… 29
データ取得元 …………………………… 144
データ収集・前処理 …………………… 32
テーブル定義書 ………………………… 19
テキストエディタ ……………………… 129
転置 ……………………………………… 138
統計解析ソフト ………………………… 37
ドメイン知識 …………………………… 7
ドメイン定義書 ………………………… 19,20

【な】

並び替え …… 55,57,60,63,90,92,96,97,121,122
二次元データ …………………………… 133
ニューメリックチェック ……………… 143
年少人口 ………………………………… 103
ノーコードツール ……………………… 13-16

【は】

箱ひげ図 ………………………………… 132,133
パッケージ ……………………………… 37,38
バランスチェック ……………………… 143
備考 ……………………………………… 144
非構造化データ ………………………… 3
ヒストグラム …………………………… 70,132,133
ヒューマンエラー ……………………… 142
表記揺れ ………………………………… 25,51
標準コード ……………………………… 29
ファイル操作 …………………………… 44
ファイルの出力 ………………………… 46,52
ファイルの読み込み …………………… 44,45,52

フォーマットチェック ……………………143

フォルダ ……………………………43

プログラミング ………………………10-16,33

プロジェクト ………………………43

プロ野球データ Freak …………… 75,80

分析・レポーティング ………………37

平成の大合併 ………………………118

ヘッダー ……………………………44

棒グラフ ……………………………132

【ま】

マスタ ………………………………144

メタデータ …………………………19,29

文字欠損 ……………………………25

文字の置換 …………………………51,52

文字化け ……………………………25

文字列の切り出し …………………50,52

【や】

ユーザーインターフェース ………………39

ユーザーコミュニティ ………………37

横結合 ………………………61-63,119,128

横長データ …………………………65

横棒グラフ …………………………138

呼び出し ……………………………43,52

【ら】

ライブラリ …………………………38

「利用上の注意」などの但し書き ………19,21

粒度 …………………………………144

レイアウト（配置）………………………24

レコード操作 ………………………53,55-59

レンジチェック ………………………143

老年人口 ……………………………103

論理チェック ………………………143

● gacco ウェブサイト ： https://gacco.org/
"gacco"は株式会社ドコモ gacco の商標です。

データサイエンスの必須スキル！データ研磨入門
－ 大学生のためのデータサイエンス －
オフィシャル スタディノート

令和 6 年（2024 年） 3 月発行

編　集　　滋賀大学データサイエンス学部ほか

発　行　　一般財団法人 日本統計協会
　　　　　　〒169－0073
　　　　　　　東京都新宿区百人町 2 － 4 － 6
　　　　　　　　　　　　　　　　メイト新宿ビル 6 Ｆ
　　　　　　電　話：（03）5332－3151
　　　　　　ＦＡＸ：（03）5389－0691
　　　　　　Ｅ-mail　jsa@jstat.or.jp
　　　　　　https://www.jstat.or.jp

印　刷　　勝美印刷株式会社

ISBN978－4－8223－4224－1　　C0033　￥1100E